EULEN SPIEGEL

オイレンシュピーゲル

壱 Black&Red&White

MPB

Milliopolis Po Bataillon

壱百万都市国家憲兵大隊

MPB
MPB

MPB
Milliopolis Polizei Bataillon
黒犬《シュヴァルツ》！　紅犬《ロッター》！　白犬《ヴァイス》！
——〈猋《ケルベルス》〉、全頭出撃《アル・シュトルム》！

なんか世界とか救いてぇ——
MPB
Milliopolis Polizei Bataillon

オイレンシュピーゲル壱

Black & Red & White

冲方 丁

角川文庫 14563

オイレンシュピーゲル 壱

Black&Red&White

CONTENTS

第壱話 ▸▸▸▸ **Black in the streets** —— 5

第弐話 ▸▸▸▸ **Red it be** —— 79

第参話 ▸▸▸▸ **Blowin' in the White** —— 201

あとがき —— 296

EULEN SPIEGEL

口絵・本文イラスト／白亜右月
口絵・本文デザイン／design CREST

EULEN SPIEGEL

第壱話

Black in the streets

握りしめた拳——行き詰まった何かを壊したくて。
結局どうにもならず手の平を見せるのも怖くなる。
何かに負ける気がして——固く、固く——閉じた。
魔法の言葉《フレーズ》がそれを開かせた——生まれて初めて。
クソな人生にバイバイする唯一の出口を開かせた。

壱《いち》

「なーんか世界とか救いてぇ――……」

少女の呟《つぶや》き――溜《た》め息混じり。

くわえたショートホープに着火。

すっぱ――――と解放感あふれる吸いっぷりで、十四階建てのビルの屋上から春の青空へ、有害物質を切なく吐息《といき》。

風に揺《ゆ》れるさらさらの短い黒髪《シュヴァルツ》／黒い切れ長の目／乳性石鹸《せっけん》のような白い肌《はだ》。

隊の広報部より支給された、下着が見えそで見えない黒いミニスカとキャミ／すらりとした脚《あし》に黒いピンストライプのガータータイツ／丸い爪先《バルーントウ》の黒いエナメル靴《ぐつ》――愛らしさと唯我《ゆいが》独《どく》尊《そん》のトイプードルの風情《ふぜい》。

ジッポライター――『A．S．A．P．』＝〝可能な限りさっさとやれ《アズ・スーン・アズ・ポシブル》〟の刻印つき。

その蓋《ふた》をぱちりと閉めて、胸ベルト付き《ベルテッド》キャミのスリットから、ブラの隙間《すきま》に挿入《そうにゅう》。

我ながらぺったんこと呼ぶに相応《ふさわ》しい胸の奥では、人造心肺が脈打ち、ニコチンや百種類余の、癌《がん》／肺気腫《はいきしゅ》／心筋梗塞《しんきんこうそく》等の原因となる毒物の濾過《ろか》に、フル稼働《かどう》中。

医師に喫煙《きつえん》がバレる確率／副長に叱責《しっせき》される確率――まぁ百%《パー》。

知ったことか。

今は至福のスモーキンタイム《ラオヒェンツァイト》――接敵寸前の第一種警戒《けいかい》待機中。

しかも待ち伏《ぶ》せ作戦とあって、パトカー／記者／テレビクルー／盗撮屋《パパラッチ》／機械化された十四歳の少女の喫煙を咎《とが》める者――一切《いっさい》なし。

もう最高。

綺麗《きれい》な空。気持ち良い風。

なんか衛星軌道《きどう》上から『全人類を一発で幸せな天国に送り込むパンチ』とか打てそうな気分。

――ってか、あれ撃《う》ちてー。あれ。

核《かく》。

この国《オーストリア》って持ってんのかな、核ミサイル――

そんな春うららかな思考＋煙草《たばこ》の煙《けむり》＋青空がおりなす見事な融和《ハーモニー》が、ふいに中断。

脳裏《のうり》にノイズ――副長の声。

《本部から黒犬《シュヴァルツ》へ、本部から黒犬《シュヴァルツ》へ》

本部からの無線通信《いぬぶえ》――顎骨《がっこつ》に移植された通信機――逃《に》げようのない命令。

《待機地点を変更《へんこう》。紅犬《ロッター》のいる地点まで下がれ。白犬《ヴァイス》も合流させる》

暗号化フィルターできんきんに割れた声──周辺情報が脳の視覚野に送り込まれる。

「本部、本部」

平和なひとときを中断された腹いせ──無線ではなく地声で応答。通信機が少女の声を拾い、本部の全員に伝達。

《なんだ、黒犬《シユヴアルツ》》

「自分、生理なんで帰っていいっすか？」

《……貴様の担当医師から、そんな報告は受けていない》

「やだな副長。あたしの初潮、まだなの知ってんだ。セクハラー」

副長＝堅物《かたぶつ》＝大の下ネタ嫌《ぎら》い。

《待機地点を変更！　指示に従え、黒犬《シユヴアルツ》！》

「生理が来れば、あたしのおっぱいも大きくなるかな。本部の人、誰《だれ》か揉《も》んでー」

《さっさと移動だ、涼月《スズツキ》っ!!》

犬呼ばわりから少女の本名に──副長の怒《いか》りの沸点《ふってん》。

少女の煙草をくわえた可憐《かれん》な唇《くちびる》が、意地悪そうな笑《え》みを浮《う》かべる。

「了解《ヤー》」

跳躍《ちようやく》──予備動作無し。

エナメル靴の底が、勢いよく屋上の鉄柵《てっさく》を蹴《け》った。
青空へ――ミニスカが翻《ひるがえ》り、黒いローライズボトムの下着が出現。
『D＝W♡MPB』――〝あなたのために《ダイ・ネトヴェーゲン》♡ミリオポリス憲兵大隊《ポリツァイバタリオン》〟と、愛らしいお尻《しり》を覆《おお》う布地に白抜《しろぬ》きプリントされた広報部特製の下着もあらわに、黒犬《シュヴァルツ》＝涼月は、ミリオポリス第二十一区《フロリズドルフ》にひしめくビルの壁《かべ》を次々に蹴り、銃弾《じゅうだん》のように跳躍していった。
《紅犬《ロッター》より本部へ、紅犬《ロッター》より本部へ》
ビル屋上――うつぶせになって、どでかいライフルを完璧《かんぺき》な三点支姿勢で構える少女の、淡々《たんたん》とした応答要請《ようせい》。
《こちら本部。どうした、紅犬《ロッター》。敵か？》
副長の期待に弾《はず》む声。
《敵が現れる前に目標の銀行を我々が襲撃《しゅうげき》し、制圧すべきと本官は愚考《ぐこう》いたします》
みしり＝怒りで通信マイクを握《にぎ》りしめる副長。
《……却下《きゃっか》だ。そこで大人しく警戒待機していろ》
《紅犬《ロッター》より本部へ、紅犬《ロッター》より本部へ》
《なんだ！》

《副長の無下な態度により、本官の自殺願望が刺激《しげき》されました。至急、本官の飛び降り自殺許可を請《こ》う。繰《く》り返す。至急、本官の飛び降り自殺許可を請う》

《やかましい！　警戒待機だ、陽炎《カゲロウ》!!》

通信アウト。

紅犬《ロッター》＝陽炎は、何ごともなく、ぷーと風船ガムを膨《ふく》らませている。

長い火のような赤髪《ロート・グリューエント》／冷たい灰の瞳《ひとみ》／刃《は》こぼれ知らずの硬質《こうしつ》ナイフのごとき美貌《びぼう》。

十四歳とは思えぬ発達した砂時計形の長身／胸の谷間を強調するVネックの紅《あか》いミニドレス／長い脚《あし》に鮮赤《フクシア》のガーター／艶《なま》めく深紅《ボルドー》のエナメルパンプス。

伏射《ふくしゃ》姿勢で剥《む》き出しのお尻には、過剰《マニッシュ》な色香を放つ赤いパンティ——黒字のプリント。

『24st.Bewa/ähren!』——〝二十四時間、警戒待機《ベヴァ》／能力実証中《エーレン》!〟。

広報部特製＝小隊の勤勉さをアピール。

パチン——弾《はじ》けたガムを口に戻《もど》す。

んぐ、んぐ、んぐ、んぐ、んぐ、んぐ、んぐ＝非の打ち所のない八拍子《びょうし》。

ふっくらした唇の間から、ぷーと風船ガムが膨らみ出る。

そこへ涼月が待機地点から三ブロック後退——ビル屋上に颯爽《さっそう》と着地。

くわえ煙草《たばこ》のまま、頭上に拳《こぶし》を突《つ》き出し、大きく伸《の》びをする。

「んー、良い天気。こんな真っ昼間に来ると思うか、銀行強盗《ごうとう》？」

陽炎もいったんガムを噛《か》むのを中断。

けだるそうに髪をかき上げ、身を起こす。

「……この街はウィーンと呼ばれていた頃《ころ》から銀行強盗のメッカだ。ちなみに最多記録は、二〇〇三年の年間五十件」

涼月＝呆《あき》れ顔。

「そりゃ、多いのは強盗じゃなくてサボって寝《ね》てる警官の方だっつーの」

陽炎＝淡々と。

「今のミリオポリスのようにな。逆に強盗犯にはやめられない理由がある。政権を追われた右派や過激派の末端《まったん》組織が、資金集めのため銀行襲撃を命じられるんだ」

「命令違反《いはん》は私刑《リンチ》ってか。すげー縦社会。警察よりよっぽど公務員っぽいな」

そこへにわかにハイトーンな声――ビルの谷間に響《ひび》く天使の歌声。

「銀行強盗シンフォニー♪　どうせ市民のお金ですー♪　銀行さんとお国さんでヘソクリ山分けハッピー♪　だーれも困んない銀行強盗《ごうと》ぉー困っちゃうのは一般《いっぱん》ピーポォー♪」

全隊員ならびに一般無線マニアにも届きかねない、全チャンネル開放設定。

《白犬《ヴァイス》！　やめろ白犬《ヴァイス》！　敵に漏《も》れる――!!》副長の激怒《げきど》。

敵というより市民の耳に、間違《まちが》っても警察が口にしてはいけない歌が届かぬよう、通信班が総力を挙げて暗号化。

「みんなハッピー銀行強盗ぉーっ♪　射殺された人の貯金は凍結《とうけつ》ハッピーヤッピー♪」

《夕霧《ユウギリ》――っ!!　無線封鎖《ふうさ》処分にされたいか！》副長の絶叫《ぜっきょう》。

「夕霧は良い子ですよぉー？　みなさんご静聴《せいちょう》ぉサンキューハッピー着地っ♪」

ビルの壁面《へきめん》を跳《と》び渡《わた》ってきた小柄《こがら》な天使が、ずどんと舞《ま》い降りる。

「テンション高すぎ」「良い歌だね、夕霧」

涼月＋陽炎――パチパチ拍手《はくしゅ》。

「えへへ。夕霧はー、今日も平和を守る気満々です！」

白犬《ヴァイス》こと夕霧の高らかな宣誓《せんせい》。

目を奪《うば》う白金《プラテイン・ブロンド》の髪／真っ青な瞳／柔《やわ》らかな宝石のような微笑《ほほえ》み。

広報部支給のプリーツのミニスカ／象牙《ぞうげ》色のチューブトップ／ふっくらした胸にミント色のリボン／すべすべの素脚《すあし》／ふわっとしたミントのソールシューズ。

踊《おど》るたびに捲《めく》れるスカートの下には、青いプラムの実のような小振《こぶ》りなお尻《しり》を覆《おお》うローカットレッグの白いパンティ――青字のプリント。

『L&F-B/Engel』――〝愛と喜びの《リーベ・ウント・フロイデ》――天使《エンゲル》／Bがつくとお茶目さん《ベンゲル》〟。

広報部製作＝小隊の朗《ほが》らかな人類愛を宣伝。

ぴっと涼月を指さし、浮《う》き浮きダンス。

「あっ、涼月！ 煙草は三十五歳から！ でないと『ドラグーンボール』の悟空《ゴクー》みたいに強くなれませんよ？」

涼月＝怪訝《けげん》。

「誰《だれ》だ、それ。『ドラグーンボール』ってあれか、スピルバーグ監督《かんとく》の」

陽炎＝注釈《ちゅうしゃく》。

「違《ちが》う。元はアキラという日本人《ヤパーナー》が描《か》いた漫画《まんが》だ」

「夕霧、知ってる！ 東京《トーキオ》が男の子のレーザー砲《ほう》でどかんてなるアニメ！」

「それは同名の別の作品だ。元々アキラは日本人《ヤパーナー》の名前の一つだよ、夕霧」

「陽炎さんは物知りですねー♪ 涼月は小学校からやり直し！」

「ここはオーストリアだっつーの。お前らどこで仕入れてくんだよ、そーいう知識」

「比較的《ひかくてき》メジャーだ。文化委託《いたく》された日本の漢字名《キャラクター》を名乗るなら知っておけ」

「知るかタコ。それより強盗まだ来ねーよ。あたしらで占拠《せんきょ》しとくか、銀行」

「それは既《すで》に却下《きゃっか》された」

「同じこと考えるなんてー、涼月と陽炎は仲良しさんっ♪」

「こいつとかよ」「願い下げだ」

涼月＋陽炎の発言――ほぼ同時。

沈黙《ちんもく》――二人の睨《にら》み合い＝火花。

「てめーの胸がでかかろうが背が高かろうが小隊長はあたしだ。忘れんじゃねー」

「ニコチン漬《づ》けで知識も胸も成長停止したお前が隊長など不思議すぎて忘れられん」

「あたしの体はこれからだ。てめーの胸は無駄《むだ》知識の産物か。ガムみてえに垂れやがれ」

「はい質問♪　夕霧、お金のこと良く分かんないけど五百万ユーロ欲しいですかぁ？」

「……空気読め、夕霧。なんだ五百万って」

「今日の襲撃《しゆうげき》予想地点に集金される額だ。一生とはいかんが五十年は遊んで暮らせる」

「あー、そりゃ欲しいな」

「でもね、幸せのお金と不幸せのお金、どっちか分かりますかー？　分からないと、きっとルーマニアにお城を買っても楽しくないと思うんですよ、夕霧は」

「別に、城買うとは言ってねー……」

突然《とつぜん》、どこか彼方《かなた》で、どーんと爆音《ばくおん》が響《ひび》いた。

ビルの狭間《はざま》――二キロ先の路上で黒煙《こくえん》。

脳の視覚野・聴覚野へダイレクトに送り込まれる緊急《きんきゆう》情報。

副長の緊急通信が爆《は》ぜる。

《黒犬《シュヴァルツ》！　紅犬《ロッター》！　白犬《ヴァイス》！――〈猋《ケルベルス》〉、全頭出撃《アル・シュトゥルム》！　繰《く》り返す！　全頭出撃《アル・シュトゥルム》！》

脊髄《せきずい》反射の迅速《じんそく》対応――現場の状況《じょうきょう》・ポイント確認《かくにん》。

涼月が直進ルートを跳躍《ちょうやく》／夕霧が支援《しえん》ルートを選択《せんたく》／陽炎がライフルを抱《かか》えて移動。

全員が〈転送〉要請《ようせい》――全て許可《オール・オン》。

「行くぜ陽炎、夕霧。狩りの時間《ヤクトツァイト》だ」宙で笑う、くわえ煙草《たばこ》の涼月――浮き浮きと。

《敵は第二一区《レオポルトシュタット》に入った現金輸送車の車輪を地雷《じらい》で破壊《はかい》！　強奪《ごうだつ》グループ二、支援グループ二！　四手に分散！　総員、囲い込め！》

副長自ら陣頭《じんとう》指揮――入れ込んでる証拠《しょうこ》。

黒犬《シュヴァルツ》＝涼月は、ビルの谷間を蹴《け》り降り、数十メートル下の通りへ素早く移動――落下。

どん！と弾丸《だんがん》のごとく着地＝衝撃《しょうげき》――アスファルトに亀裂《きれつ》。

急激な高低差で脳の血が移動＝視界がブラックアウト。

超音波《ちょうおんぱ》探査モードの灰色の世界で、握《にぎ》りしめた両拳《りょうこぶし》を果敢《かかん》に構える。

小洒落《こじゃれ》たカフェの店員・客が、涼月に仰天《ぎょうてん》――さらに驚愕《きょうがく》。

一台の改造バンが出現――通りを驀進《ばくしん》。

　窓もタイヤも完全防弾。

　強奪グループその一と遭遇《そうぐう》――正面対決。

　改造装甲《そうこう》バンVS黒いミニスカ少女。

　くわえていた煙草を、ぷっと吹《ふ》き捨てた。

　涼月の声なき要請とともに、その両手足＝〈特殊《とくしゅ》転送式強襲機甲義肢《きょうしゅうきこうぎし》〉＝通称《つうしょう》〈特甲《トッコー》〉が、

《転送を開封《かいふう》》

遠吠《とおぼ》えにも似た音を発して機能を発揮。

　エメラルドの幾何学《きかがく》的な輝《かがや》きとともに、ミリオポリス憲兵大隊《MPB》の本部ビルにある武器・弾薬・強化義体が〈転送〉された。

　涼月の指・腕《うで》・脚《あし》・靴《くつ》が解体＝置換《ちかん》――黒い光沢《こうたく》を放つ機甲に変貌《へんぼう》／各急所をカバー／両腕両脚が、漆黒《しっこく》の流線形をなす超振動《ちょうしんどう》型雷撃器と化す。

　転送完了《かんりょう》＝瞬時《しゅんじ》に起動＝一秒余。

　黒い鋼鉄の四肢《しし》を持つ少女が、『あなたのために♡《ダイネトヴエーゲン》』のプリント入り下着のお尻もあらわに、迫《せま》り来る改造バンへ疾走《しっそう》。

　右フック。

　漆黒の拳がバンパー下部に命中――超振動発生＝魚雷に等しい衝撃。

轟音《ごうおん》――車体が宙を舞《ま》った。

駐車禁止区域《ちゅうしゃ》に停車中の一般車《いっぱん》の群へ、改造バンが横向きにダイブ――狙《ねら》い通り。

砕《くだ》け散る違法《いほう》駐車の車たち――一般市民が大騒《おおさわ》ぎで退去。

装甲バンの砕けた窓から、自動小銃《しょうじゅう》や札束の入った袋《ふくろ》を手にした男たちがわらわら這《は》い出てきて、ウィーン訛《なま》りのドイツ語で罵《ののし》る。

跳躍――横転したバンの上に降り立つ黒い特甲少女＝通称〈対甲鉄拳の涼月《パンツァーファウスト》〉が、呆然《ぼうぜん》とする武装犯たちへ、凛《りん》としたファックサイン。

「MPB《エムペーベー》遊撃小隊〈猋《ケルベルス》〉だ。あたしの街で勝手するタコは、跪《ひざまず》いて懺悔《ざんげ》しな」

男たちの罵声《ばせい》――次々に突《つ》き出される銃口。

その一人が、超音速で飛来する銃弾によって、右腕を木《こ》っ端微塵《ぱみじん》に吹き飛ばされた。

絶叫《ぜっきょう》――転倒《てんとう》。

乱射しかける者たちの腕・脚・頭が、次々に射貫《いぬ》かれてゆく。

頭上――後衛。

陽炎の精密な狙撃《フォロー》。

紅《あか》いシャープなフォルムの特甲／右腕と一体化した超伝導式《レール》ライフル。

三点式位置探査・超音波・赤外線など数種類の情報を総合＝複数のグループを瞬時に牽制《けんせい》／

完璧《かんぺき》な掃射《そうしゃ》姿勢でお尻《しり》を突き出し、刃《やいば》のような無表情さで、聖母のように優《やさ》しく引き金を絞《しぼ》る真紅《しんく》の特甲少女＝通称〈魔弾の射手の陽炎《フライシュッツ》〉の実力発揮。

地上——前衛。

支援グループ＝改造ジープが、涼月のいる現場に急行。

その荷台で銃を構える武装犯たちのど真ん中へ、機甲化した夕霧が、美しい白銀の四肢を畳《たた》んで飛来。

横殴《よこなぐ》りに着弾——衝撃。

激しい横揺《よこゆ》れ——テールが弧《こ》を描《えが》いて急停止。

武装犯数名が、悲鳴を上げながら、荷台から放《ほう》り出された。

「銀行強盗《ごうとう》のみなさん、アロー！　長生きしたい人は両手を上げてーっ、ハッピー♪」

武装犯たちが一斉《いっせい》に銃を構え直した。

刹那《せつな》、夕霧の十本の指が銀の弧線を放射。

両腕に内蔵された液状金属《フリュスイヒ・メタル》と硬化《こうか》装置が起動——幅《はば》二ミクロンのワイヤー×5×2が高磁力による凄《すさ》まじい乱舞《らんぶ》を開始。

空を切り裂《さ》く閃《ひらめ》き——前後左右で男たちを一刀両断。

白銀の特甲少女＝歌って踊《おど》れる殺人ミキサー＝通称〈悪ふざけの夕霧《オイレンシュピーゲル》〉の周囲で、切断された銃・手足・胴体《どうたい》・首が宙を舞う。

二つ先の通りでMPBの装甲パトカーが封鎖《ふうさ》線を形成――一般市民のシャットアウト／強奪《ごうだつ》グループその二の囲い込み。

涼月が現場へ急行――その途上《とじょう》。

そいつが、いた。

車道を渡《わた》る一人の男――スキンヘッド／薄汚《うすよご》れた軍支給ジャケット／削《けず》ったような痩顔《そうがん》／青黒い肌《はだ》／ぎらぎらした光を溜《た》めた目。

獣《けもの》のような笑《え》みを浮《う》かべて封鎖線の方へ歩きながら、上着のポケットから両手を出す。

右手は生身／左手は機械化＝鋼鉄の指が握る、冗談《じょうだん》のように巨大《きょだい》な鉄の塊《かたまり》。

男の大腿骨《だいたいこつ》よりでかそうな銃身――リボルバー式の**拳銃**《けんじゅう》。

その対空砲《ほう》のような馬鹿《ばか》でかい拳銃を見た涼月の全身が、特大級の悪い予感に戦慄《せんりつ》した。

男が拳銃を掲《かか》げる／構える――封鎖線のMPB隊員たちが男に気づく。

涼月の緊急《きんきゅう》通信。

《逃《に》げろ――――――っ!!》

閃光《せんこう》――男の銃撃《じゅうげき》／さながら爆撃《ばくげき》。

たった一発の弾丸《だんがん》が、パトカーの装甲を突き破《やぶ》って凄まじいまでの炸裂《さくれつ》を起こした。

装甲《そうこう》パトカーが魔法《まほう》のように宙に浮いて火の玉に。

落下――封鎖線が炎《ほのお》の海と化す。

「てんめ――っ!!」涼月の叫《さけ》び／男が振《ふ》り向く＝「なんで女の子が？」と驚《おどろ》く顔。

涼月が男へ全力疾走。

脳裏《のうり》に陽炎への支援要請《しえんようせい》――勢いに任せて自ら却下《きゃっか》。

許せない怒《いか》り＝この自分を、ほんのちょっとでも脅《おびや》かしたやつには、問答無用かつ雷撃《らいげき》最大値で一発食らわすべし。

《やめろ黒犬《シュヴァルツ》！　支援を待て！》

副長の制止／男の銃口がこちらを向く／跳《と》ぶ／男の右側へ――超《ちょう》近接戦闘《せんとう》／男の体ではなく、その機械化義手と拳銃を狙った。

拳銃のバレルに刻印＝得体の知れない社名。

『Princip Inc.』

プリンチップ株式会社――見たことも聞いたこともない社名に、ほんの一瞬《いっしゅん》、目を奪《うば》われる。

もしかして、壊《こわ》してはいけない証拠《しょうこ》物件かも／そんなの知るか／やっちまえ――というコンマ数秒以下の脳内議論が、僅《わず》かな遅《おく》れの原因《もと》に。

男の反射的な行為《こうい》――銃口を、とてつもない迅速《じんそく》さで接近した涼月に、慌《あわ》てて向けた。

真っ黒い虚空《こくう》そのもののような銃口を認識《にんしき》する遥《はる》か以前に放たれた涼月の拳《こぶし》が、拳銃から発射された弾丸と、真正面から激突《げきとつ》。

衝撃《しょうげき》の波──視界が完全にブラックアウト。

どちらが上か下かも分からず浮遊《ふゆう》──転倒《てんとう》。

ラグビーボールになった気分。

相手の反撃を許した──馬鹿げたミスに怒りが沸騰《ふっとう》。

最悪／起き上《あ》がろうと足掻《が》く／視界が戻《もど》る──愕然《がくぜん》。

目の前に転がる右拳の残骸《ざんがい》。

吹《ふ》き飛ばされた自分の右手・右足／亀裂《きれつ》だらけの機甲。

地べたを這《は》う自分──あまりの怒りに視界が真っ赤《レッドアウト》に。

遠くでよろよろ動く男の影《かげ》──ろくに狙《ねら》いもつけず無差別に銃撃。

轟音《ごうおん》＝立て続け──崩壊《ほうかい》する封鎖線。

涼月──歯を食いしばって左足だけで立ち上がり、〈転送〉を再要請。

そこへ、ＭＰＢの装甲車が、涼月の前で横殴《よこなぐ》りに急停車。

車体が盾《たて》に＝拳銃男が見えなくなる。

「寝《ね》てろ！　今、救護班が来る！」ＭＰＢ隊員の声。

「邪魔《じゃま》だ――――っ!!」

力任せの左拳が、装甲車側面を殴った。

隊員の悲鳴――装甲車が横転。

炎――拳銃男はどこにもいない。

《馬鹿か!!》

副長の憤激《ふんげき》。停止信号＝数十分の一秒――涼月の特甲の武器を強制終了《しゅうりょう》。

拳の機能停止――〈転送〉中止。

カカシのように左足だけで突《つ》っ立ったままに。

それでもなお、涼月はナイフのように目を尖《とが》らせ、消えた拳銃男を捜《さが》して、辺りを睨《にら》み続けている。

ぐらぐら揺《ゆ》れる脚《あし》を、意地になって踏《ふ》ん張らせていると、握《にぎ》りしめた左拳に、ふと誰《だれ》かが触《ふ》れた。

「涼月、めっ。独りは、めっ」

優《やさ》しく叱《しか》る夕霧が、両手で涼月の拳を包んでいた。

出撃命令から三分強。

無言で宙を睨む涼月の体から、やがて静かに力が抜《ぬ》けていった。

弐《に》

かつてウィーンと呼ばれ、二〇一六年の今は、ミリオポリスと呼ばれるオーストリアの首都——通称《つうしょう》〈ロケットの街〉は、人口約二千五百万人の平和な国際都市だ。

なぜ平和か？

二千五百万人もいるのに、過去十年間の銃《じゅう》死者数の平均が、月間たったの六百四十八人だからだ。

また、宇宙開発とは無縁《むえん》なのに、なぜ〈ロケットの街〉なのか？

古いロケット推進燃料である過塩素酸アンモニウム《AP》の着火点が、六百四十八度K《ケルビン》だからだ。

そんな平和な街も、二十一世紀に入り、超少子高齢《こうれい》化による人材不足と、凶悪《きょうあく》犯罪やテロの猛威《もうい》という大問題に直面した。

そこで政府は、十一歳以上の全市民に労働の権利を与《あた》え、肉体に障害のある児童には、無償《むしょう》で機械の体を与える政策を発表。

また一方で、軍部の天下り先として、強力な兵科を都市治安に応用する機関を開設。

児童の労働・機械化・治安——これらは間もなく結びついた。

最も優秀《ゆうしゅう》な機械化児童に〈特殊《とくしゅ》転送式強襲機甲義肢《きょうしゅうきこうぎし》〉――通称〈特甲《トッコー》〉を与え、治安の維持《じ》にあたらせたのである。

その多くが女子となったのは、男子の大半が軍属として世界の紛争《ふんそう》地帯に派遣《はけん》されたせいだが、特甲児童の活躍《かつやく》は男女問わず目覚ましく、大した問題にはならなかった。

かくしてミリオポリスには最高の人材が配属された。

その一つがMPB《エムペーベー》遊撃小隊〈猋《ケルベルス》〉――すなわち三人の特甲少女で構成された、平和的攻勢《フリーデンスオッフェンズィフ》を担《にな》う、最強の特殊兵科である。

そして。

その小隊長にして突撃手《スターマン》たる**涼月・ディートリッヒ・シュルツ**は、全身検査のため両手足を外され、**MPB本部ビル**六階の医療《いりょう》フロアのベッドで寝ていた。

自動昇降式《しょうこうしき》の毛布／ベッド脇《わき》でのろのろ動く電気スタンドみたいなロボット義手×1。

「くっそ――……絶対、副長の嫌《いや》がらせだぜ。普通《ふつう》、検査のために手足取るかあー？」

「私も今の処置に賛成だ。お前の頭のネジの外れ具合を確かめるまではな」

お見舞《みま》い用リンゴを綺麗《きれい》に切り分け、皿に並べる、小隊の狙撃手《スナイパー》こと**陽炎・サビーネ・クルツリンガー**。

「陽炎、お上手ですねー♪　涼月にはあげなーい♪」

ウサギリンゴを手に踊《おど》る、小隊の遊撃手《ショート》こと夕霧・クニグンデ・モレンツ。

「なんでよ」

ロボット義手を伸《の》ばす涼月——すかさず陽炎と夕霧が皿を遠ざける。

「ふふふ。皮でも食うがいい」

涼月の義手にリンゴの皮を巻く陽炎——冷たい微笑《びしょう》。

「ウサギちゃんがハリネズミー♪」

切り揃《そろ》えたリンゴに、ぶすぶすピックを刺《さ》す夕霧。

「あ——……」

今さらのように二人の顔色を窺《うかが》う涼月。

「お前ら、なんか、怒《おこ》ってね？」

「いや」「ぜーんぜん♪」

にこやかな二人の返答。

「では行くか」「涼月、またねー♪」

「片付けろ！」

リンゴの皮を頭上にぶら下げた涼月を完全無視——二人の退室。

かなりの勢いで取り残された空気。

「絶対《ぜつて》ぇー……怒ってるっつーの」

単純な理由＝二人の支援《しえん》を求めず独走した涼月へのメッセージ――〝反省しろ〟。

「くっそ、口で言えってんだよ、もー」

ロボット義手の三本指を駆使《くし》して山盛りに刺さったピックを抜こうとするが超《ちよう》難易度設定高し――苛々《いらいら》する余り、だんだん泣けてきた。

「あー、もぉー」

「涼月ちゃん」ふいに遠慮《えんりよ》がちな声。

見ると細い体軀《たいく》の少年が戸口でもじもじしている。

整った容貌《ようぼう》／日に透《す》けそうな白い頰《ほお》／ふわっとした金髪《きんぱつ》／伏《ふ》し目がちの薄緑《うすみどり》の目。

「吹雪《フブキ》。何してんだ？」

「それ、取ってあげる」

たたっと近寄り、頼《たの》まれもせずにリンゴのピックを抜いてゆく。

それから、そっと音を立てるのを怖《こわ》がるような丁寧《ていねい》な仕草で、一本だけのピックで刺したリンゴを、涼月の口元に差し出した。

「はい、涼月ちゃん」

にっこり笑う吹雪――人類愛の模範《もはん》のような温かな姿。

「ん……」

ベタ下がりになった難易度に拍子抜《ひょうしぬ》けしつつ果実を齧《かじ》る。

涼月には珍《めずら》しい素直《すなお》さ＝相手が自分と同じ機械化児童であるという安心。

かと思うと、吹雪の優《やさ》しげな目が潤《うる》み、じわっと涙《なみだ》がにじんだ。

ぽかんとなる涼月――吹雪がぐすっと洟《はな》をすする。

「無事で良かった……。ごめんね、涼月ちゃん。僕がもっと早く転送出来てたら……本当に、ごめんね」

本気度百二十％のしおらしさで見つめてくる白いチワワの風情《ふぜい》――吹雪・ペーター・シュライヒャー。

ＭＰＢのマスターサーバー〈刕《レイ》〉の接続官《コーラス》／接続時は意識を失う無意識型／噂《うわさ》ではＩＱ三〇〇の特甲少年／だが弾《たま》よけにもならない超運動音痴《おんち》のため軍属にならずＭＰＢの転送塔《とう》に配属――その脳力を駆使し、〈猋《ケルベルス》〉担当の転送員に。

「ばっ……馬鹿《ばか》。お前は悪くないっつーの」

相手の心配が如実《にょじつ》に伝わり、超絶むず痒《がゆ》い／かえって独走を責められている気分。

「んなことより、次だ、次」

「う、うん」

目尻《めじり》を拭《ぬぐ》ってリンゴを差し出しかけた吹雪が、いきなり脚《あし》をもつれさせた。

どうにも手足の操縦が覚束《おぼつか》ない〝超運動音痴〟の真骨頂。

ああっ、と横倒《よこだお》れになって自動昇降《しょうこう》の毛布の柱にしがみつくついでにスイッチオン——毛布の角を紐《ひも》が持ち上げてゆく。

呆気《あっけ》に取られて声も無い涼月——柱にしがみついたまま焦《あせ》りまくって体勢を立て直そうとするもさらに足を滑《すべ》らせる吹雪。

「ご、ご、ご、ごめんなさい」

その間にも、毛布はのんびりと、だが確実に上昇——やがて涼月の体から離《はな》れた。

「み、見んなっ！」

はっと我に返った涼月の鋭《するど》い声。

慌《あわ》ててうつむいた吹雪の顔が、みるみる真っ赤に染まる。

ロボット義手がぐいぐい毛布を押《お》し戻《もど》し、やっと昇降機が反応。

検査用パルスコードを貼《は》り付けられた以外、一糸まとわぬ涼月の体を、再び毛布が覆《おお》った。

殺気を込《こ》めて睨《にら》む涼月。

耳たぶまで赤くなっている吹雪——その目に焼きついた、あらわな美しい体。

生身と機械の接続部《クッション》である生体義肢《ぎし》＝その二の腕《うで》と腿《もも》は半ばから子鹿《こじか》の角のような丸みを帯

びている。ほっそりした肩《かた》／滑《なめ》らかな胴《どう》／妖精《ようせい》のように透明《とうめい》な胸でつんと尖《とが》った桃色《ももいろ》の小さな乳首《ちくび》／腿の間には、ぷっくりとした淡《うす》桃色の可憐《かれん》な割れ目——

沈黙《ちんもく》——気まずい限りの空気。

「脱《ぬ》げ」

涼月の獰猛《どうもう》な唸《うな》り＝食い殺す勢い。

「……えっ？」

憐《あわ》れなほど怯《おび》える吹雪。

「てめえだけ見て済むもんじゃねえんだっつの。ぶっ殺されたくなけりゃズボン脱げ」

睨み殺さんばかりの涼月に圧倒《あっとう》され、ふるふる震《ふる》える吹雪——涙目／抵抗《ていこう》不可能。おずおずと通信班支給のズボンのボタンを外し、恥《は》ずかしそうにファスナーを下ろす。従順を絵に描《か》いたような仕草で下着ごと膝《ひざ》まで脱ぎ、消え入りたげにうつむいて体をさらした。

「へー……」

まじまじと見る涼月——想像していた〈象さんの鼻〉はなし。代わりに剝《む》き出しの頭頂部にピンク色の割れ目／くびれ周辺に、うっすら傷痕《きずあと》／思っていたより迫力《はくりょく》があるものに、ちょっと気圧《けお》される。

「なんか……違《ちが》うな、お前の」

「か……割礼《かつれい》してるからかな」

真っ赤な顔の吹雪＝もとの両親が信仰心篤《しんこうしんあつ》いユダヤ人。

「ふーん」

涼月――ロボット義手が緊急《きんきゆう》ナースコールをオン。

「えっ？　え？　え？」

うろたえる吹雪――にわかに接近するスリッパの音。

しれっとした顔の涼月／その場に凍《こお》りつく吹雪。

そして戸口に現れる人影《ひとかげ》。

「……何してんのよ、あんたら」

白衣の女性が、腕組みして言った。

綺麗《きれい》にアップにした長い金髪《きんぱつ》／見事な長身／院内であることを完全忘却《ぼうきやく》した、くわえ煙草《たばこ》。

「変態でーす、マリア医師《センセ》ー。逮捕《たいほ》して下さーい」

涼月＝無慈悲《むじひ》。

「あ、あっ、あの……」

涙目で怯える吹雪。

「貴重な接続官《コーラス》に妙《みよう》なトラウマを刻むんじゃない」

医師のチョップが涼月の脳天をヒット。

「君も、さっさとズボン穿《は》きなさい。先生のいたずら心をくすぐる気？」

おろおろ再着衣する吹雪――その様子を医師マリアが、すぱーっと一服しながら眼福。

「は……早く元気になってね、涼月ちゃん」

まだ顔が赤い吹雪の律儀《りちぎ》な言葉――危なっかしい足取りで逃《に》げるように退室。

ありゃ絶対どこかで転ぶな＝涼月の予想。

「医師《センセ》ー、一本ちょーだい」

「ダメ。全世界の未成年の死亡原因トップは喫煙《きつえん》よ。銃弾《じゅうだん》や交通事故じゃなく」

毅然《きぜん》と返す、ＭＰＢ専属医師マリア・鬼濡《キヌ》・ローゼンバーグ――なら自分はなんで吸うの、という質問は無言で却下《きゃっか》。

「それより、あーいう吹雪くんみたいな子は大事にしなきゃダメよ」

「なんだよ、それ」

鼻で笑う涼月。

「医師《センセ》ー、あたしが人殺しだって知ってた？」

「全然。私は世界中の警官や軍人を殺人者呼ばわりする似非《えせ》平和主義者じゃないの」

「……どーでもいいよ、そんなの」

つまらなそうに宙を向いた。

「まだ出らんないの？」

「退院は二日後。手足の感覚調整は念入りに。あんたが壊《こわ》した特甲《とっこう》用〈肢《バイン》〉の修理に五日。最高級車並みに高価で精巧《せいこう》な体が、それだけで完全修復するんだから感謝しなさい」

「生体義肢は、もっと高価《たか》いだろ」ぼそっと言う。

遺伝子から分析《ぶんせき》して造る〝生身に等しい成長する義体〟＝信じがたいほど高価。

涼月に与《あた》えられるのは心肺や接続部《クッション》のみ。

「欲しい？　〝普通《ふつう》〟の手足？」

「別に」

涼月の即答《そくとう》――完全無糖のブラックコーヒー《モカ》を思わせる黒い眸《ひとみ》を、マリアに向ける。

「痛みを無《オフ》に出来ねー手足なんて、いらねーっつの。思いきりぶん殴《なぐ》れる手足の方が良いし、ぶん殴っていい相手がいりゃ文句無しさ」

「その相手の目星はついてるって顔ね」

くわえ煙草のマリア――たしなめるような目つき。

「まあね」

にやりと笑う涼月――その頭上でロボット義手がファイティングポーズ。

ミリオポリス第二十四区《エーヴェー》。

〈オーストリア人の職場《エースタライヒッシエ・ヴエルクシユテツテン》〉の頭《かしら》文字〈ÔW《エーヴェー》〉で呼ばれる地区。

そのど真ん中に鎮座《ちんざ》するMPB本部ビル——三十二階建て。

全施設《しせつ》完備の総合ハイテクビルの二十二階。

会議室の一つ——隊長格たちのブリーフィング。

「——先の現場に乱入した〝拳銃《けんじゆう》男〟は、マスターサーバー〈刕《レイ》〉の解析班の報告でも、グループに属さない民間人と判断された。この男に対しては特例警戒《けいかい》を実施する。殺さず逮捕だ。いいな」

MPB副長フランツ・利根《トネ》・エアハルトによる全隊告知。

長身痩躯《そうく》／いかにもエリート風の銀縁眼鏡《ぎんぶちめがね》／隊内随一《ずいいち》の知恵者《ちえしや》。

通称《つうしよう》〈蜘蛛《くも》の巣フランツ〉＝二重三重の搦《から》め手を得意とする参謀《さんぼう》。

〈猋《ケルベルス》〉の指揮官にして絶好のからかい相手／噂《うわさ》では操《みさお》を守ってまだ童貞《どうてい》。

「銀行強盗《ごうとう》グループの主力はいまだ健在だ。各隊が連携《れんけい》し、徹底《てってい》して叩《たた》く。以上だ」

次々に立ち上がる男女——小・中隊長たち。

涼月は隅《すみ》で座ったまま、むっつりと壇上《だんじよう》に顔を向け、苦々しい思いに満ちた黒い目をナイフみたいに尖《とが》らせている。

助けに来た装甲車を殴って横転させた十四歳の機械化少女に声をかける者――なし。

間もなく会議室には、涼月と、副長フランツ、そして壇の横手にどっしり座ったＭＰＢ大隊長だけに。

「何か言いたそうだな」

副長――とんとんと書類を揃《そろ》えながら。

「〝拳銃男〟は、あたしがやる」

涼月――人が殴れそうな硬《かた》い声音《こわね》。

「却下だ。やつは第一級破壊《はかい》罪および違法《いほう》銃器所持罪だが、幸い死者は無し。まだ即《そく》射殺対象ではない」

「自動小銃を持ってる未成年は即射殺で、化け物拳銃を持ってるどこかの馬鹿《ばか》男は特例で殺さず逮捕《たいほ》？」

「そうだ」

ずしりと重い返答――大隊長の声。

会議中も事件中も滅多《めった》に喋《しゃべ》らない男――巌《いわお》のような体軀／貫禄《かんろく》ある容貌《ようぼう》／銃口より雄弁《ゆうべん》で容《よう》赦《しゃ》ない眼差《まなざ》し。

都市治安に軍の兵科を導入した、治安機構きっての武闘派《ぶとうは》。

大隊長オーギュスト・天龍《テンリュー》・コール――通称〈沈黙《ちんもく》のオーギュスト〉の断言に、涼月が黙《だま》り込む。

副長が言った。

「やつは生かしたまま我々が手に入れる。お前たちの任務は武装した実行グループの壊滅《かいめつ》だ。それが嫌《いや》なら、別の特殊《とくしゅ》任務がある。隊員の総意をまとめておけ」

副長がペラ一枚の書類を手近な机に置く。

MPBのトップ二人が退出――涼月は書類へ歩み寄った。

『キャンペーン任務』

広報部支給のド派手な衣裳《いしょう》を着て、市民に治安の重要性をアピール――憲兵大隊の重武装に対する批判をかわすための報道活動。

涼月は、通常でも一・五トンの打撃《だげき》を誇《ほこ》る拳《こぶし》を振《ふ》り上げ、机ごと書類を粉々にしようとして――やめた。

代わりに、自分の拳を、じっと見た。

固く、固く――閉じた手。

ふいに嫌な感情が脳裏《のうり》をよぎる。

自分の拳――最悪の人生の原因。

そして母親――家出娘《むすめ》。

純血主義の両親の反対を押し切ってトルコ人の男と結婚《けっこん》。

仲が冷え切っていた両親を見返したくて、幸せな家庭を築きたがる。

そして出産――肝心《かんじん》の子供＝涼月が、彼らの夢を裏切った。

母親の理想とはかけ離《はな》れた体で生まれた涼月――末端《まったん》神経の障害。

生まれてから一度として拳を開けず、足の指も丸まったまま。物をつかめず、まともに歩けない。

母親の意地＝涼月の異常を認めず／医者にも見せず。

その手がいつか開くと頑《かたく》なに信じて放置。

そしてその結果――涼月、七歳――手足の末端で固まった血の塊《かたまり》が、血管を通って体中の器官に栓《せん》をした。

手遅《ておく》れ＝涼月は生きながら体の内側から腐敗《ふはい》していった。

涼月の瀕死《ひんし》――政府の障害認定《にんてい》。

両親は親権放棄《ほうき》を認めた。

涼月は、児童福祉《ふくし》局＝通称《つうしょう》〈子供工場《キンダーヴェルク》〉で機械化され、労働児童のための育成コース行きに。

だが機械化されても手足を開くすべを知らず、長いこと地べたを這《は》い続けた。

捨てられた自分――手の平を見せることで、それを認めてしまう気がして。

涼月、十一歳――両親が再び会いに来た。

文化委託《いたく》＝国連都市ミリオポリスの政策。

戦争や災害などで保全困難となった国の文化を他国が維持《いじ》――その報奨《ほうしょう》として莫大《ばくだい》な保全予算が国連から下りる。

その恩恵《おんけい》の一つ＝日本の漢字名《キャラクター》を名乗れば毎月の保全金＋社会保障が支払《しはら》われる。

文化委託局がランダムで決定する漢字名《キャラクター》は、二十五歳の準成人時にミドルネームに、三十五歳の成人時にセカンドネームに。

両親が欲《ほっ》したもの――涼月の保全金。

十一歳で労働の権利を得た涼月は、親権の復活を選択《せんたく》する権利も得た。

涼月が首を縦に振れば、両親は〝優秀《ゆうしゅう》な〟機械化された労働力にして保全金対象者たる長女を得る。

「手を開いて見せて」

母親の願い――だが涼月は頑なに拒《こば》んだ。

「ごめんね」母親の涙《なみだ》。「あなたを、そんな体に生んで、ごめんね」

涼月の激怒《げきど》――母親と自分の間にあったテーブルを握《にぎ》りしめた拳で粉々に破壊《はかい》した。

以来、母親とは会っていない。

閉《と》ざされた拳――救いのない人生。

それを開かせたのは夕霧だった。

自分の拳を包む夕霧の手。

電子的に再現された疑似《ぎじ》感覚――温かさ。

それを思い出し、ふと我に返った。

書類を手に取り、がらんとした会議室で思う。

〝拳銃《けんじゆう》男〟は、あたしの獲物《えもの》だ。

母親と断絶した時のように――頭に来たもの／自分を脅《おびや》かすものは全《すべ》て、この拳でぶっ壊《こわ》す。

参

「やめておけ」

ぷーとガムを膨《ふく》らます陽炎――にべもなく。

「私達の獲物じゃない」

「大隊長と副長の獲物だってのか？　なんで？」

涼月＝縁《ふち》なし眼鏡《めがね》――乱視用。

自室のテレビ――ミリオポリスのローカルニュース＝退屈《たいくつ》。

チャンネルを変える。

アルジャジーラの特番――銀行強盗《ごうとう》の話題。

夕霧は、涼月が持ち帰った『特殊《とくしゅ》任務』の書類に大喜び。

「今度はどんな服かなー♪」

MPB《エムペーベー》本部ビル十二階――女性隊員の寮《りょう》。

涼月の部屋＝陽炎と夕霧のたまり場。

二人とも、部屋は散らかし放題――床《ゆか》に物が落ちているのが大嫌《だいきら》いな涼月の部屋に、点呼もなく集合。

「副長の狙《ねら》いは〝男〟じゃない。〝拳銃〟の出所だ。お前がKOされた拳銃のデータは隊内でも情報規制されている。どうやら銃の刻印〝プリンチップ株式会社《Princip Inc.》〟のせいらしい」

陽炎の淡々《たんたん》とした情報開示。

「誰《だれ》がKOされたってんだ、この野郎《やろう》」

涼月＝テレビを見たまま、むかつき顔。

ふと記憶《きおく》――銃の刻印。

拳銃男との戦闘《せんとう》で致命的《ちめいてき》なミスの原因となったもの。

思った通り、やはり重要な証拠《しょうこ》物件だったのだ。

「その、プリンなんとかってな、どこのメーカーだ」

「〈〇《レイ》〉にも確認《かくにん》不能の、存在しない幽霊会社《ダミー》だ。この国の法律では、企業《きぎょう》は刑事罰《けいじばつ》の対象にならない。それを利用した、企業体を装《よそお》う、支援《しえん》型のテロ組織だと目されている」

陽炎＝情報マニア。

隊内でのまことしやかな噂《うわさ》＝売春＝各部署の秘密情報を一手に収集。

涼月＝呆《あき》れ顔。

「あんな怪物《かいぶつ》拳銃を野放しにしといて、誰も罪にゃ問われないってのか」

「元々、銃器メーカーほど無責任な企業は無いからな。それに二〇〇五年のカプルンケーブルカー事件判決以来、この国の法が企業に甘いことは世界中に知れ渡《わた》っている」

「ケーブルカー？」

「日本人をふくむ百五十五人が死亡した事故だ。関係者は全員無罪。企業責任は皆無《かいむ》」

「サボることにだけは全力投球ってか。この街じゃ、いつものこと――」

涼月の声が尻《しり》すぼみに――テレビへ身を乗り出す。

陽炎と夕霧が顔を上げた。
テレビの緊急《きんきゆう》報道。
爆煙《ばくえん》まみれのビル――未来党の選挙事務所。
〝銀行強盗の一味が爆破〟
そして現れる男の顔写真＝〝拳銃男〟――息を呑《の》む涼月。
「なんっ……だ、こりゃ」
涼月の混乱――未来党は極右思想で有名な政党。
つまり裏で銀行強盗＝過激派を操《あやつ》っている可能性大。
その事務所を爆破？　自分の裏のボスを？
意味不明。
だが確かな現実＝炎《ほのお》／血まみれの事務員／運び出される死者。
無言で立ち上がる涼月。
「どこへ行く気だ？」
半ば察している陽炎――〝やめておけ〟と目が言っている。
「確かにあの野郎は、あたしの獲物《えもの》じゃないんだろーよ」
涼月――振《ふ》り返りもせず、真っ直《す》ぐ戸口へ。

「でも、あたしがあのとき、あの野郎を仕留めてたら、今、あそこで殺すやつも殺されるやつもいなかったはずだ」

陽炎が宙を仰《あお》いで溜息《ためいき》。

部屋を出て行く涼月を、夕霧がじっと見送る。

磁力のように引きつけられる。

ろくでもないこと＝犯人への個人的興味。

エレベーターで二十階へ——情報解析《かいせき》・通信班のフロア。

隊員証を見せて中へ。

目的＝吹雪のデスク。

「スッ……涼月ちゃん？」

どきっとしたような顔の吹雪——その耳元へ小声で告げる。

「見たい情報《モノ》があるんだ。バレないように」

「う、うん……」

吹雪——ぽうっとなって涼月の顔から目を離《はな》さない。

「なんか顔についてるか？」

思わず自分の頬《ほお》を撫《な》でる。

「う、ううん。眼鏡《めがね》かけてる涼月ちゃん……初めて見たから」

「非番のときだけな」

どうでもよさそうに返す——相手の視線の熱心さが妙《みょう》に気になる。

「無くても困んねーけど……変か？」

「ううん、ううん。そんなことない。似合ってるよ」

顔を赤らめ早口に言う吹雪。

こいつ赤面症《しょう》か？　涼月の素朴《そぼく》な疑問。

「んなことより——」

「う、うん。どれが見たいの？」

慌《あわ》ててデスクに向く吹雪——涼月の要請《ようせい》に応《こた》えて素早《すばや》く的確に情報規制を迂回《うかい》。

ＩＱ三〇〇の天才少年の早業《はやわざ》。簡単すぎるロックゆえに規制された重大な情報という感覚さえなし。

次々に呼び出される捜査《そうさ》データ／開かれる内部情報。

そして開帳。

一人の、哀《あわ》れで寂《さび》しい負け犬の遠吠《とおぼ》え。

〝拳銃男《けんじゆう》〟ことオットー・千代田《チヨダ》・ワイニンガー＝三十歳。

幼少期は、体も小さく、ひ弱で、劣等生《れつとうふ》。

目立たず、特技も無く、話題を振りまく愛嬌《あいきよう》も皆無。

笑い合う同級生の輪から取り残された〝真面目《まじめ》で大人しい子供〟＝ランチを一人で黙々《もくもく》と食べる辛《つら》さを日常的に感じ続け、逞《たくま》しい父と兄から弱虫野郎《やろう》となじられる日々。

十八歳――友達が一人も出来ないまま高校を卒業。

家を出る金が欲しくて工場で働く。

左手首に大怪我《おおけが》――児童福祉《ふくし》手当と機械化手術。

それまで以上に父と兄から隠《かく》れるように息をひそめる毎日を送ることに。

二十二歳――宅配のアルバイト。

届け先の家で十四歳の女の子に話しかけられる。

理由は不明＝〝希望に満ちた天使〟の登場。

生まれて初めて女の子と携帯《けいたい》電話でやり取り。

はにかみ屋のオットーは、いつも携帯電話でプレイしていた未成年禁止のバーチャルセックス・ゲームを女の子に見せる。

天使は怯《おび》えて逃《に》げた——着信拒否《きょひ》。

希望が消えた日のオットーの日記＝〝彼女も、みんなと同じだった。意地悪で冷たくて愛情のかけらもない〟

二十八歳——転機。

それまで貯《た》め続けた金で、免許《めんきょ》を取得／中古車を購入《こうにゅう》。

ついに家を出てミリオポリスへ。

大都会に住む優越感《ゆうえつ》——間もなく倉庫管理の仕事場で孤立《こりつ》＝退職。

家賃が払《はら》えず、車の中に住むようになる。

酒・煙草《たばこ》・女・賭博《とばく》は一切《いっさい》やらず、携帯電話が唯一《ゆいいつ》最大の娯楽《ごらく》。

とある軍事マニアのページに頻繁《ひんぱん》にアクセス——右翼《うよく》的言動にかぶれ、頭をスキンヘッドに。

軍のジャケットを着て、その日暮らしのアルバイトを繰《く》り返し、誰《だれ》とも喋《しゃべ》らず、車で街を徘《はい》徊《かい》し続ける。

窓越《ご》しの世界。

娼婦《しょうふ》、浮浪者《ふろうしゃ》、薬物中毒者、売人、オカマ、外国人へ〝右派的視線〟を送り、〝国の更生《こうせい》のため排撃《はいげき》〟＝携帯電話を銃に見立てて撃《う》つ——バン、バン、バン。

三十歳——異変。

沈黙《ちんもく》が当然だった携帯電話が突如《とつじょ》として鳴り響《ひび》く。

心当たりのない番号――恐《おそ》る恐る出た。

「やあ、オットーくん！　私はリヒャルト・トラクルおじさんだよ！」

能天気な中年男性の声――名前を呼ばれて仰天《ぎょうてん》するオットー。

「私のことはトラクルおじさんと呼んでくれたまえ。君のことはよーく知っている。ずっと君を見ていたんだ。言うなれば、本人には決してそれと知らされない〝選抜《せんばつ》テスト〟ってやつでね。君はこれまでずっと試《ため》されていた！　そしてついに合格したんだ！　我々の理想にふさわしい人物として！」

得体の知れない戯言《たわごと》の数々。

だがオットーは、その〝声〟に惹《ひ》きつけられた。その言葉に。

「そんな君に私からのプレゼントがある！　指定された場所へ急行してくれ！」

一方的に通話が切れた。

数秒後にメールの着信――近くの公園へ行くよう指示。

言われた通り急行――動悸《どうき》・興奮――ベンチにリボン付きの箱。

手に取る――車に戻《もど》る／開く。

怪物《かいぶつ》じみた巨大《きょだい》な**拳銃**が出現。

自分の親指よりでかい炸裂弾《さくれつだん》の束。

その全《すべ》てに『Princip Inc.』の刻印。

そして再び携帯電話が鳴った――慌《あわ》てて出た。

朗《ほが》らかな男の声――まるで福音《ふくいん》。

「どうだね。銀行の金庫さえ破壊《はかい》する、史上最強のハンドガン。プリンチップ社特製〈ヘラクレス〉だ。君の左手を少しばかり改造すれば、すぐにでも撃てるようになる。君はプリンチップを知っているかな？」

オットーは知っていた――軍事マニアのページにアクセスした賜物《たまもの》。

「そう。ガブリロ・プリンチップ。かつてオーストリア皇太子夫妻を射殺し、第一次世界大戦を引き起こした、あの憂国《ゆうこく》の青年さ。我々はプリンチップのように、世界史を変える可能性を持った人物に、最適な武器を届けることを使命としているんだよ、オットーくん」

「なんで……俺なんですか」

込み上げる思い――声が震《ふる》えた。

「君が君だからだよ」

優《やさ》しい〝声〟のいらえ。かつて自分に与《あた》えられたことがなかったもの。

「我々には君が必要なんだ」

その瞬間《しゅんかん》、オットーの中で長いこと堰《せ》き止められていたものが決壊した。

激しい嗚咽《おえつ》が迸《ほとばし》った。

涙《なみだ》が滝《たき》のように流れた。声を上げて泣いた。人生の目的がやっと分かった喜びで。

変転――〝声〟の指示。

もぐりの〝外し屋〟の違法《いほう》手術＝左手の義手のパワーバランサーを外して怪物拳銃《けんじゅう》を撃つための握力《あくりょく》を得た。

体を鍛《きた》えた。

全体主義について学んだ。

ヒトラーの偉大《いだい》さを知った。

ヒトラーにユダヤ人排撃思想を育てさせたウィーンという街に満ちる、純血主義的かつ民族主義的な〝孤独〟に気づいた。

そう。今まで自分はなぜ孤独なのかと考えていた。

だが、違《ちが》う。

孤独は〝なぜ〟などという矮小《わいしょう》な思考とは無縁《むえん》の観念――人生を崇高《すうこう》にする神秘の根源だったのだ。

そして〝声〟が告げる使命。

「ある〝グループ〟が君の助けを求めているぞ、オットーくん！　外国人どもがこの国から不当に奪《うば》って銀行に隠《かく》した金の奪還《だっかん》を目指す彼らを、迎合《げいごう》主義の似非《えせ》憲兵どもの抑圧《よくあつ》から救ってくれ。さあ今こそ歴史的な一撃《いちげき》を放つときだ。君の中に秘《ひ》められた偉大さを証明したまえ。そのための手段は今まさに君の手にある！」

迷わないオットー——銀行強盗《ごうとう》を支援《しえん》。

目覚ましい銃撃の数々。闘争《とうそう》の苦しみと喜びの初体験。

〝グループ〟は犠牲者《ぎせいしゃ》を出しながらも十五万ユーロという大金を〝正しい者たち〟の手に取り戻した。

オットーと〝グループ〟は連帯した。オットーを導く〝声〟は〝グループ〟にも影響力《えいきょうりょく》を持っていた。

生まれて初めて仲間を得たオットー——彼らと話した／言葉が溢《あふ》れた／とにかく喋《しゃべ》りたかった／誰《だれ》かと目的を一つにする喜びを語りたかった。

昼夜を問わず仲間たちに電話をかけまくり、全員から辟易《へきえき》された。

やがて待ちに待った決行——二度目の闘争。

小さな金融《きんゆう》機関を襲撃《しゅうげき》。

オットーは単独で陽動＝闇雲《やみくも》に放たれる銃撃。

パトカーの群／洒落《しゃれ》た商店／外国人の乗るバスを粉砕《ふんさい》――バン、バン、バン、バン。

迎《むか》えに来る仲間の車――そのとき選挙事務所の窓が見えた。

華々《はなばな》しい栄光に満ちた選挙ポスター。

この街を間違った方向へ進ませた者たち。

迎合主義の政治家どもの／腐敗《ふはい》した金持ちどもの／私利私欲に走るエリートどもの、勝ち誇《ほこ》った笑顔《えがお》。

我慢《がまん》できず、銃を構え――絶叫《ぜっきょう》。

「俺は政治家さえ恐《おそ》れない！　俺の一撃は世界史だって変えるんだ！」

肆《し》

寂《さび》しさでおかしくなった負け犬、なんちゃって思想犯オットー・千代田・ワイニンガーの一念発起《ねんほっき》。

銀行強盗の支援テロ――無用な厄介《やっかい》。

ノリで未来党員の選挙事務所を銃撃爆破《ばくは》。

死傷者多数。

死刑執行《しけいしっこう》。

未来党が裏で操《あやつ》る極右は、このきわめつきの馬鹿《ばか》を決して許さない。警察が何もしなくても。

オットーは、仲間になろうとした極右の連中に逆に殺される。

「アーメン、クズ野郎《やろう》」

急に視界がぼやけた。

不覚――にじむ涙――吹雪にバレた。

「ど、どうしたの涼月ちゃん？」

「データの読み過ぎで目が痛いっつーの」

さっと吹雪に背を向ける。

「……ありがとな、吹雪」

心配そうな吹雪を残し、目尻《めじり》を拭《ぬぐ》いながらフロアを出た。

非常階段――踊《おど》り場。

隠れて煙草《たばこ》に火をつけ、深々と一服。

ジッポライター――『A・S・A・P・』＝〝可能な限りさっさとやれ《アズ・スーン・アズ・ポシブル》〟の刻印。

仕留め損《そこ》なった獲物《えもの》――今はもう自分の手の届かない場所にいる。

すぱ――――っと見事な吸いっぷりで、有害物質を切なく吐息《といき》。

助けにきた味方の装甲車《そうこうしゃ》を殴《なぐ》り飛ばす涼月から、愚《おろ》かな〝拳銃男《けんじゅう》〟への哀悼《あいとう》。

この街は決して弱者を助けない。

力のない者は見捨てられる。生き抜《ぬ》く能力がなければ何をされても文句は言えない。

風光明媚《ふうこうめいび》な観光名所で知られるこの街は、どこもかしこも血なまぐさいサボタージュに満ちている。

たとえばミリオポリスに網《あみ》の目のように広がる地下鉄では、スリ・強盗・麻薬《まやく》取引・殺人が増加し続けており、その対処として全《すべ》ての駅と列車に監視《かんし》カメラが設置されている。

だがしかし肝心《かんじん》のカメラを監視する警備員が大てい飲んだくれているため、ほとんど機能していない。

たとえばミリオポリスではしばしばスキンヘッドの白人グループが問題を起こす。

黒人やトルコ人やスロヴェニア人やユダヤ人を殺したり、家に放火したり、車強盗の標的にしたり、シナゴーグのユダヤ人墓地を掘《ほ》り返して遺体を散乱させたりするが、それらの犯罪が報道されることは滅多《めった》にない。

なぜなら戦争犯罪に関する歴史教育をなおざりにしたお陰《かげ》で、ナチスがどういうものか知らない人間が多く、スキンヘッドの悪行が報道されようものなら、面白《おもしろ》がって真似《まね》をするやつらが大量に出てくるからだ。

ミリオポリスではしばしば警官やレスキュー隊員らによるリンチで外国籍《がいこくせき》の市民が死亡することがあるが、問題になることはあまりない。

なぜなら人種差別に関する歴史教育をなおざりにしたお陰で、そもそも黒人など少数民族への暴力や迫害《はくがい》が、そんなに悪いことだとは思っていない連中が多いからだ。

ミリオポリスではしばしばドイツ語が上手《うま》く喋《しゃべ》れない者に対して暴力が振《ふ》るわれる。

なぜならオーストリアはドイツ語の習得義務を外国人にも課しており、もし定期的なドイツ語の試験に合格しなければ国外退去になるため、「ドイツ語が喋れないやつはクソだ」という考えが一般的《いっぱん》になっているからだ。

ミリオポリスではしばしば子供や若者が、麻薬の過剰摂取《かじょうせっしゅ》によって道端《みちばた》で死んでいるが、それが良くないことだという認識《にんしき》は薄《うす》い。

なぜなら麻薬には中毒性があって体も心も魂《たましい》も破壊《はかい》してしまうものだという教育をされていないため、ちょっと気分が落ち込んだからといって気軽に覚醒剤《かくせいざい》やヘロインに手を出すからだ。

しかも都市に入り込んだ麻薬の量が多すぎるせいで珍《めずら》しい犯罪でもなんでもなくなってしまい、警官が麻薬を押収《おうしゅう》したとしても大した「手柄《てがら》」にはならないため、誰《だれ》も本気で取り締《し》まろうとはしないからだ。

ミリオポリスではしばしば病院や介護《かいご》ホームで、患者《かんじゃ》が虐待《ぎゃくたい》死させられたり危険な薬物投与《とうよ》で死亡したりするが、滅多に取り締まられることはない。

なぜなら医者というのは特権階級であり、患者は生殺与奪《せいさつよだつ》の権利を奪《うば》われた奴隷《どれい》と同じだからだ。

ミリオポリスではしばしば失業者が街に溢《あふ》れかえるが、そのことが政治的にも経済的にも本気で問題にされることはない。

なぜなら「悪いのは外国人どもだ。自分たちが手に入れるべき富を、ユダヤ人や日本人どもが奪ったからだ」と叫《さけ》べば、大勢が納得《なっとく》するからだ。

それに何より、金持ちどもにとっては、貧乏人《びんぼうにん》が道端で死のうが、特に気にすべき事柄ではないからだ。

そしてミリオポリスではしばしば七歳の少女が、その肉体の障害を認められず、親から放置され、生きながら体内が腐《くさ》っていくという地獄《じごく》に陥《おちい》る。

なぜなら近年、遺伝子技術の開発に高額の賞金や特許が見込めるようになった反面、世界的に遺伝子差別が高まったからだ。そしてミリオポリスにもとから満ちていた差別主義とあいまって、一部の市民の間では、生まれながらにして障害があることが、馬鹿《ばか》馬鹿しいくらいタブー視されるようになったからだ。

ベートーヴェンはこの街で極度の強迫観念《かんねん》に陥った。フロイトはこの街にうようよいる精神病患者を通して精神分析を発達させた。

メンデルはこの街で学び、やがて栽培《さいばい》した豆から遺伝学を思いついた。

そしてそれが後の世には優生学という「完璧《かんぺき》な白人以外の、遺伝的に劣《おと》っている民族や障害者や精神病患者は死ね」とする馬鹿げた悪夢のような発想に飛躍《ひやく》した。

そして過去の大戦において厚生《こうせい》労働省や医師たちが「劣等《れっとう》種」のレッテルを貼《は》られた人間を容赦《ようしゃ》なく殺害・去勢・堕胎《だたい》していった。

ヒトラーはこの街で、人種差別こそが選挙の票・金・戦争の大義名分を手に入れるための、絶好の手段であることを学び、ついにはナチズムを開花させた。

世界で初めて精神医療《いりよう》が一般化したウィーン＝ミリオポリス。

この街では、今も人生のクソミソさでおかしくなったやつらで溢れている。

市民の六割が何らかの強迫観念や依存《いぞん》病や虚脱《きよだつ》感を抱《かか》えているという発表が毎年のようにされているが、誰も何もしようとはしない。

なぜなら、どうせそういうやつらは、いずれ最後のよりどころを求めて、ろくでもない何かにしがみつき、自分から破滅《はめつ》してゆくからだ。

それが麻薬《まやく》であれ銃であれカギ十字であれ言いたいことは何も変わらない。

〝神様が吐《は》いた啖《たん》が地上に落ちるまでの時間を、ただ数えるような最低な人生は、いったい何のためにあるんだ？〟

そして答えを作り出す。

自分に都合の良い血なまぐさい幻想《げんそう》。

誰も彼もが少しずつ諦《あきら》めたせいで、とめどなく広がってしまった悪意の徒花《あだばな》。

地べたに這《は》いつくばるしかない人生を、どうにかしたくて拳《こぶし》を握《にぎ》りしめる者でいっぱいのこの街に――ただなすすべもなく、瞑目《めいもく》／黙禱《もくとう》。

そのとき。

非常階段のドアが、突然《とつぜん》――どかん！　と爆発《ばくはつ》的な音を立てて開いた。

「ほら、いたー♪」

夕霧の天真爛漫《てんしんらんまん》な笑顔《えがお》。

「あ――……」

ばつが悪い涼月――くわえ煙草《たばこ》。

「なんで分かんだっつーの」

「単純な行動パターンだからな」

続いて現れる陽炎――パチンとガムを弾《はじ》かせて。

「例の特殊《とくしゅ》任務について、隊員の総意を小隊長に報告しに来た」

「夕霧は思いつきましたよーっ！」

浮《う》き浮き踊《おど》る夕霧――呆気《あっけ》に取られる涼月を、ぴっと指さし、超《ちょう》天然悪ふざけ的重大発表。

「名づけてぇーっ、〝市庁舎の人《ラートハオスマン》〟作戦――っ‼」

伍《ご》

「……超ギリだ」

涼月――強《こわ》ばった怖《こわ》い笑顔。

「これはギリだ。限界だ。この衣裳《いしょう》を考えたやつを殴《なぐ》りてえ」

超ど派手に飾《かざ》られた装甲車《そうこうしゃ》が、能天気な音楽とともに、のんびり徐行《じょこう》運転。

ミリオポリス第四区《ヴィーデン》の大通り――かつて貴族と移民が混在し、モーツァルトやドヴォルザークが住んだ場所。

今はハイテクビルが群れ集《つど》うオフィス街／安酒場／劇場／歓楽《かんらく》街が混在する、小洒落《こじゃれ》た地区。

装甲車の屋根の上――三人の可憐《かれん》な少女たち。

広報部特製〈花の精《ニンフ》〉の衣裳。

色鮮《いろあざ》やかな超ミニ／全身に花・花・花／パンツのお尻《しり》に警察標語。

『煙草は三十五歳から！』

『売春は公共事業です／確定申告をお忘れなく！』

『明るい未来／同級生を撃《う》たないで！』

キャンペーン任務。

憲兵隊の重武装が犯罪者たちの人権を損《そこ》なっているのではないかという批判をかわすための愉快《ゆかい》で可愛《かわい》い〈妖精たちの小歌劇《スプライト・シュピーゲル》〉。

車道脇《わき》に集まる多数の一般《いっぱん》人＝ファン――涼月さーん、陽炎さまー、夕霧ちゃーん、などと連呼。手に手に構えたハンドカメラ。

三人の姿／下着をビデオに収め、リアルタイムでネットにばらまく――広報部の意図通り。

「恥《は》ずかしがれば負けだ」

手を振《ふ》る陽炎――顔の筋肉の完璧《かんぺき》な操作による極上《ごくじょう》の笑顔。

その衣裳――優雅《ゆうが》な赤いアザミ。

花言葉は〝厳格な権威《けんい》〟。

「みんな平和でハッピー――っ♪」

マイクを握る夕霧――道行く人々へ、浮き浮きダンスを披露《ひろう》。

その衣裳――可憐な白いアスパラガス。

花言葉は〃無敵なる勝利〃。

「さぁー、涼月っ。作戦開始ぃーっ！」

「や……やってやらぁーっ！」

涼月――やけくそ。

夕霧から渡《わた》されたマイクを握りしめる。

その衣裳――初々《ういうい》しい青いクロッカス。

花言葉は〃悔《く》い無き青春〃。

同じ頃《ころ》。

オットーは、煤《すす》けたスキンヘッドやボロボロのジャケットに血をにじませ、頬《ほお》を涙《なみだ》で濡《ぬ》らしながら、住処《すみか》＝車で、当てもなく街を徘徊《はいかい》していた。

昨夜。

いきなり〃メンバー〃に囲まれ、私刑《リンチ》。

殴られ、大切な拳銃《けんじゅう》を取り上げられ、希望の窓である携帯《けいたい》電話を踏《ふ》み砕《くだ》かれる。

悲憤《ひふん》＝怪物《かいぶつ》じみた握力《あくりょく》の左義手＝そばにいた誰《だれ》かの頭を握《にぎ》り潰《つぶ》す。

運良く拳銃を奪《うば》い返す／滅茶苦茶《めちゃくちゃ》に撃ちまくる――炎《ほのお》・炎・炎。

ボロ屑《くず》のようになりながら逃《に》げ出す。

「あいつらが悪いんだ」

泣きながらハンドルを握りしめる——込み上げる悲しみ／心の痛み／裏切られた苦しみ／初めて得た仲間なのに。

なんでこうなったのか全然分からない。信頼《しんらい》し合っていた仲間だったはずなのに。

はかない希望の念——この自分の偉大《いだい》さを見せつければ、再び仲間に迎《むか》え入れてくれるかもしれない。

ナビ——「偉大さ」のための標的を探す。

群なす銀行／斬新《ざんしん》なデザインの市の施設《しせつ》／フンダートヴァッサー作のゴミ焼却《しょうきゃく》場／ミリオポリスに文化保全された金閣寺《きんかくじ》／マチュピチュ／アンコールワット——

どれを吹《ふ》き飛ばせば歴史的な一撃《いちげき》になるのか見当もつかない。自分の偉大さの証明の仕方が分からない。

携帯電話を探す——ない。

〝声〟——トラクルおじさんと話すことも出来ない。

涙が後から後から零《こぼ》れて頬を濡らした。

そこへ——突然《とつぜん》の大音響《だいおんきょう》。

「オットー・千代田・ワイニンガ――――っ!!」

仰天《ぎょうてん》＝停車。

すぐ先の大通りを行くド派手な装甲車《そうこうしゃ》。

その屋根の上＝特設舞台《ぶたい》。

オットーの生活圏《けん》を洗い出し、キャンペーン任務にかこつけ挑発《ちょうはつ》する涼月。

「あたしと勝負しろ童貞野郎《どうていやろう》――――っ!!」

オットーの凝視《ぎょうし》＝血走った目。

青いクロッカスの衣裳《いしょう》を着た少女が、かつてただ一人、自分に親しくしてくれた十四歳の少女の面影《おもかげ》と重なる。

冷たく裏切られた記憶《きおく》／希望を失った苦しみ。

鋼鉄の左手が拳銃を握る――固く、固く――車を降りる。

磁力に引きつけられるように。

立ち止まらずに歩いてゆく。

ミリオポリス第一区《インネレシュタット》＝旧市街にある旧市庁舎《ラサウス》は、かつて建設中に、「教会でもないのに百メートル以上高いなんて非常識だ。けしからん。建設を中止しろ」と抗議《こうぎ》された建物である。

設計者は「もっともだ」と抗議を受け入れ、高さを九十八メートルに修正し、反対派を満足させた。

そして、建物の頂上に〝市庁舎の人《ラートハオスマン》〟と名づけられた三・四メートルの騎士像《きし》を設置。

なおかつ、その騎士の手に、六メートルの旗を持たせた。

そして誕生。

計百七メートル余の高さを誇《ほこ》る、ネオゴシック建築物。

行き詰《づ》まることを許さず、あっさり跳《と》び越《こ》える、有無《うむ》を言わせぬ〈悪ふざけ《オイレンシュピーゲル》〉――この街に殺されず、生き抜《ぬ》くための最後の本能――希望。

その才能に満ちた夕霧の作戦通り、吠《ほ》えまくる涼月。

そして陽炎が、その類《たぐ》い希《まれ》なる狙撃手《そげきしゅ》の眼差《まなざ》しで、接近する標的を視認《しにん》。

「来た」

閃光《せんこう》。

群衆から躍《おど》り出たオットー――銃撃。

特大の炸裂弾《さくれつだん》が装甲車側面で爆発《ばくはつ》――炎。

群衆の悲鳴＝パニック＝周囲でけたたましいクラクション。

燃えながら蛇行《だこう》する装甲車――その屋根の上から、いつの間にか消えた三人。

たたらを踏むオットー。

その背後に降り立つ涼月＝一瞬《いっしゅん》の〈転送〉＝漆黒《しっこく》の特甲姿。

「死んでねーか心配したぜ、負け犬野郎《やろう》！」

慌《あわ》てて振《ふ》り返るオットー――涼月のサイドステップ＝跳躍《ちょうやく》。

相手の銃口《じゅうこう》が群衆に向かないよう誘導《ゆうどう》――凄《すさ》まじい形相のオットーが追う。

涼月はビルとビルの間へ。

「こっちだ、のろま！」

ふいに通りから響《ひび》いてくる朗々とした声。

「ＭＰＢは怠《おこた》らない！　ＭＰＢは諦《あきら》めない！　ＭＰＢは見逃《みのが》さない！」

消火中の装甲車――その音響装置。

銃撃を食らった拍子《ひょうし》に誰《だれ》かがスイッチをオンにしてしまったらしい、涼月・陽炎・夕霧の三人が音声を吹き込まされた、広報用ボイスデータ＝大音量。

「ＭＰＢは容赦《ようしゃ》しない！　ＭＰＢは怒《いか》りを宥《なだ》めない！　ＭＰＢは自ら平和を耕す使命を忘れない！　なぜならＭＰＢは決して、この都市《まち》を愛することをやめないからだ！」

思わずにやりとなる。

ＭＰＢに所属することで得られるもの――〝ここは自分の街だ〟という強い気分＝意志。

行き詰まるもの全《すべ》てを吹き飛ばす沸騰《ふっとう》点。

「ゆえに！　MPBは敵への突撃《シュトウルム》をためらわない！　ゆえに！　MPBは疾風《シュトウルム》のごとく相手に隙《すき》を与《あた》えない！　ゆえに！　MPBの前に敵はない！」

涼月が足を止める。

オットーが拳銃《けんじゅう》を構える。

怠惰《たいだ》の悪がはびこり、もはやどこへも飛んでいけない〈ロケットの街〉での対峙《たいじ》＝狂奔《きょうほん》。

お互《たが》いが「何をすべきか」その答えである歓喜《かんき》。

噴出《ふんしゅつ》。

「あたしのッ、街でッ、勝手なことしてんじゃァッ、ねェ――――ッ!!」

「異常ね」
医師マリアの呟《つぶや》き――**MPB本部ビル**。
大隊長室――壁《かべ》のモニター＝ニュース特報。
MPB隊員がキャンペーン任務中に〝偶然《ぐうぜん》にも拳銃男と遭遇《そうぐう》〟＝戦闘《せんとう》開始＝生中継《なまちゅうけい》。
「黒犬《シュヴァルツ》の検査で異常は見られなかったのだろう？」
副長フランツ――銀縁眼鏡《ぎんぶちめがね》のレンズに映るテレビ画面＝燃え盛《さか》る炎《ほのお》。

「心理的、肉体的、共にきわめて健康よ」

マリア――煙草《たばこ》に火をつける／溜《た》め息をつくように。

「大人でさえトラウマになるような戦闘に従事しているとは、とても思えないほどの健康優良児。まるで毎日、大好きなスポーツに明け暮れてる女の子みたい」

「ならば、何も問題はない」

副長＝休めの姿勢／居直るように。

「このまま血みどろの世界でしか生きていけない子になるかもしれないわね」

マリア＝自分の方がストレスを感じているというように紫煙《しえん》を漂《ただよ》わせて。

「彼女は逸材《いつざい》だ」

重々しい声――デスクに座った大隊長オーギュスト。

二人が振り返る――〈沈黙《ちんもく》のオーギュスト〉が、炎の狭間《はざま》に躍る少女を見つめたまま呟く。

「真に戦火を呑《の》むことが出来る者であれば、性別、年齢《ねんれい》、人種を問わない。そのMPBの最大原則に、彼女は適合している」

後を続ける副長。

「戦火に生きる者が、みな残虐《ざんぎゃく》になるとは限らんということだ、マリア」

マリア＝腕組《うでぐ》み／疑わしげ。

「それほど大事な人材だって言うんなら、今すぐ戦闘を止《や》めさせるか、増援《ぞうえん》を出すかしたらどうなの、フランツ？」

モニター――爆発的な銃火。

広がるパニック／漆黒の特甲少女の叫《さけ》び＝〝来やがれ、負け犬野郎《やろ》ぉ――っ!!〟

「中隊を配置済みだ。あいつが接敵報告か救援要請《ようせい》を出せば、いつでも応じられる」

「それまで独走を黙認《もくにん》？　あの子が、あの装備で、どこまで戦えるか見てやろうっていうわけ？　それでもし、あの子を失ったら――」

「プリンチップ社製の兵器に、我々では勝てんということだ。黒犬《シュヴァルツ》の最大戦力は、我々の一個中隊に匹敵《ひってき》する」

副長の冷徹《れいてつ》な断言。

大隊長――その言葉を肯定《こうてい》する雄弁《ゆうべん》な沈黙。

「私たちの全てを……あの子一人を使って試《ため》してるってわけね」

マリア――疲《つか》れたようにほつれた髪《かみ》をかき上げる／モニターに目を戻《もど》す。

「もし彼女がそれを知っても……確かに、何の文句もないでしょうよ」

新たな火――それに真っ向から応じる少女の叫び＝嬉々《きき》として。

閃光《せんこう》――銃撃《じゅうげき》。
涼月が跳《と》ぶ――それまでいた地面が爆発《ばくはつ》して吹《ふ》っ飛ぶ。
頭上――ビル屋上。
機甲《きこう》化した陽炎＋夕霧――野次＝無線通信《いぬぶえ》。
《さーぁ、白熱してまいりましたよ、涼月選手VS〝拳銃男〟さんの一戦――っ♪　どーですか、解説の陽炎さん！》
《相手の武器を封《ふう》じ込《こ》めないことには、殺さず逮捕《たいほ》は困難ですね》
《涼月選手にはハードな試合ですねっ》
《短気ですからね。あっさり殺すかもしれませんね》
《あらー。困ったちゃんですねー♪》
《そうなると隊員の連帯責任になりますね》
《それはとっても嫌《いや》ですねーっ》
押しつけがましい忠告――くそ、むかつく。
宙でビルの壁を蹴《け》る涼月――壁を砕《くだ》く銃弾《じゅうだん》／立て続け／火の雨。
素早《すばや》く着地――回り込み／一撃必殺のチャンスをつかむ。
オットーの腹が必中の距離《きょり》・角度に。

だが、殺すなという意識——相手の胴《どう》を吹き飛ばす代わりに拳銃《けんじゅう》を狙《ねら》う＝一瞬《いっしゅん》の遅滞《ちたい》。

いきなり膝《ひざ》をつくオットー＝自分で撃《う》った壁の破片《はへん》を脳天に食《く》らう／阿呆《あほ》か。

オットーの左肩《ひだりかた》を涼月の拳《こぶし》が抉《えぐ》る——タイミングが狂《くる》った／くそ。

転がるオットーが慌《あわ》てて突《つ》き出す銃口を——不愉快《ふゆかい》な既視《きし》感。

引き金が引かれる——すぐさま放った左拳と弾丸が衝突《しょうとつ》。

閃光。

衝撃の波——涼月の意識と体が宙を舞《ま》った。

爆炎《ばくえん》でオットーの髪とジャケットが燃え上がる／悲鳴／のたうち回る。

転倒《てんとう》する涼月——左腕《ひだりうで》に亀裂《きれつ》。

弾丸が左小指を貫通《かんつう》して宙で炸裂《さくれつ》＝手足をもがれずに済む。

衝撃でくらくらする。

握《にぎ》った両拳／地べたを這《は》う自分——嫌な記憶《きおく》／母の涙《なみだ》。「ごめんね」

（違《ちが》うよね）

ふいに脳裏《のうり》に響《ひび》く声。

涼月、十歳——夕霧と出会う。

機械化された手足＝それでも握ったままの涼月の拳を、何を思ったか、夕霧はその手で優《やさ》しく包み込んでくれた。

(あなたのこの手は神様からの贈《おく》り物だね)

魔法《まほう》の言葉《フレーズ》──初めて会ったばかりの相手にそれが言える夕霧。

その天然の〈悪ふざけ《オイレンシュピーゲル》〉。

拳に伝わる温《ぬく》もり──決定的な言葉。

(きっと凄《すご》いことのためのもの。『ドラグーンボール』の悟空《ゴクー》みたいに世界だって救っちゃうかも)

ああ──そっか。

(小学校からやり直し！)夕霧の言葉。

──忘れてた。

夕霧と出会った翌朝──涼月はベッドの中で不思議なものを見た。

いつの間にか開いた自分の両手。

まるで予定されていた遅咲《おそざ》きの花のように。

どんなに開きたくても開けなかった指──それが柔《やわ》らかく動く様子を見ていた。

なぜだか悲しくもないのにぽろぽろ涙を零《こぼ》しながら。

ただずっと見ていた。

母親と断絶した日／夕霧は言った。

「涼月は、ありがとうって言いたかっただけ」

母親の涙／夕霧は言った。

「生んでくれてありがとうって言いたかっただけ」

握った拳／夕霧は言ってくれた。

「涼月はパパもママも大好きだから」

言いたくて、言えなくて、言える自分がどこにもいなくて、握ったままの拳を振《ふ》り上げることしか出来なかった――ママを恨《うら》んだことなんてない。一度だってない。

「あー……――くそ、思い出した」

ぺっと硝煙《しょうえん》の味がする唾《つば》を吐《は》いた。

答え＝相手の武器を封《ふう》じる方法――馬鹿《ばか》みたいに単純な。

《立て――――っ、涼月ィ――――っ!!》

夕霧の声援《せいえん》――同時に跳《は》ね起きていた。

オットーがジャケットを脱《ぬ》ぎ捨てる。

焼け焦《こ》げた頭髪《とうはつ》／ぎらぎら光る目。

獣《けもの》のような叫《さけ》び――救いようもなく独りぼっちでい続けた男が上げる金切り声。

「俺の孤独《こどく》は、世界史だって変えるんだ!!」

間抜《まぬ》けが突き出す銃口――一瞬前に接近済みの涼月。

反応済みの全神経が放つ右フック。

引き金が引かれるコンマ数秒前。

固く握りしめられていた手が大きく開かれた。

涼月の顔面――僅《わず》か二センチの距離に特大の銃口。

その暗い虚無《きょむ》の闇《やみ》を、涼月は真《ま》っ直《す》ぐ睨《にら》んでいる。

銃撃停止。

びくともしない引き金――オットーの困惑《こんわく》／動揺《どうよう》／焦燥《しょうそう》。

涼月の右手が精一杯《せいいっぱい》に開かれて、巨大《きょだい》な銃身後部を、オットーの機械の左手ごと、しっかりとつかんでいた。

銃撃を停止させる、最も単純な方法――撃鉄の間に差し込まれた涼月の人差し指。

――ざまーみやがれ！

涼月の心＝咆吼《ほうこう》。

――あたしは、この手を開けるんだぞ、馬ぁー鹿っ！

目を剝《む》くオットー／真っ赤に泣きはらした目／必死に引き金を引こうとする。

みしみし軋《きし》む機械の左手――涼月の指が撃鉄《げきてつ》を押し返し、弾丸《だんがん》の発射を完全に食い止める。

改造義手ごときが特甲のパワーに勝てるか！

拳銃《けんじゅう》を握った手を思い切り引き寄せた。

バランスを崩《くず》して前のめりになるオットー。

振りかざされる涼月の左拳《こぶし》――にわかに輝《かがや》き。

その拳が幾何学《きかがく》的なエメラルドの輝きに包まれながら、ぽかんとなるオットーの間抜けづらへ、吸い込まれるようにしてヒット。

オットーの頬《ほお》・鼻・顎《あご》がいっぺんにひしゃげた。

コンマ数秒で意識喪失《そうしつ》――白目／盛大《せいだい》な鼻血／折れた歯が宙を舞《ま》う。

衝撃《しょうげき》で改造義手が崩壊《ほうかい》。

金属疲労《ひろう》／戦闘《せんとう》疲労／ぶっ倒《たお》れるオットー――完全ＫＯ。

《やりました――っ！　涼月選手の勝利――っ!!》

夕霧の歓声《かんせい》＝大はしゃぎ。

《転送員、ナイスセコンドです》

陽炎の淡々《たんたん》とした解説。

涼月は拳銃を放《ほう》り捨て、自分の左手を見た。

ナイスセコンド。

無茶なタイミングでも〈還送《かんそう》〉を実行してくれた吹雪——一・五トンの打撃力を有する、通常の拳に。

「殺さず逮捕《たいほ》……ですな、一応は」

副長フランツの呟き《つぶや》——MPB本部ビル。

「一般《いっぱん》隊員の被害《ひがい》はなし……。あんたの目論見《もくろみ》通りってところかしら、フランツ」

くわえ煙草《たばこ》＝医師マリアのささやき。

「あいつのMPB隊員としての意志を信じ、尊重しただけだ」

副長——生真面目《きまじめ》。

「あの子のあれが意志なもんですか」

マリア——溜《た》め息まじり／立ちこめる紫煙《しえん》。

「この街で生き延びるための本能よ。あの子はね、七歳のときに両親から逃《に》げて、家から二キロ先の病院まで腐《くさ》った手足で這《は》って行ったの」

「それが彼女を小隊長にした理由だ」

大隊長オーギュスト——鉄のように重い声。

「そして重要なのは、プリンチップ社が現れた今、それに対抗《たいこう》する兵科が我々の手にあるということだ」

「……あの男が狼煙《のろし》ってわけね。武器を与《あた》えられれば喜んで振《ふ》り回す人間たちへの。自分たちが住む街への憎《にく》しみでいっぱいの人間たち……きっと何の疑いも抱《いだ》かず、プリンチップ社を歓《かん》迎《げい》するんでしょうね」

大隊長の沈黙《ちんもく》――マリアの言葉を肯定《こうてい》する雄弁《ゆうべん》な眼差《まなざ》し。

「始まりますな……この街が犯《おか》し続けた血まみれの怠惰《たいだ》……その全《すべ》てを清算する闘争《ゲヴァルト》が」

副長――冷ややかに光る眼鏡《めがね》の奥――鋭《するど》い目。

大隊長／副長／医師の視線。

モニターの向こうで、涼月が会心のガッツポーズ。

どこまでも広がる青空――雑多なビルが並ぶ〈ロケットの街《ミリオポリス》〉の一角。

がたがた揺《ゆ》れながら走る、半壊した装甲車《そうこうしゃ》＝煤《すす》だらけ。

その上に乗って帰還する、三人の少女たち。

「あの〝拳銃男〟さんも頑張《がんば》ってたよねー♪」

歌うように言う白犬《ヴァイス》こと夕霧。

「頑張る方向を間違《まちが》えていたけどね」

パチンとガムを弾《はじ》かせる紅犬《ロッター》こと陽炎。

「負け犬にゃよくある間違いだ」

ショートホープに火をつける黒犬《シュヴァルツ》こと涼月——まるで自分のことでも話すみたいに、さばさばした口調。

「でも、どんなに狂《くる》っちまったタコでも、思い切りぶっとばしてやりゃ、正気に返ることもあるだろ」

「接続不良のテレビ並みの扱《あつか》いだな」

陽炎——呆《あき》れ顔／ぷーと膨《ふく》らむ風船ガム。

「ちゃんと映るようになったと思いますかー？」

夕霧——にっこり笑って／浮《う》き浮きステップ。

「さーな。結局……ぶっ壊《こわ》れたまんまかもな」

涼月——青空に向かって、有害物質を切なく吐息《といき》。

「でも……。少なくとも、あたしが生きてる限り、いつだって、リターンマッチは受けてやるさ」

柔《やわ》らかに握《にぎ》った拳《こぶし》——大きく伸《の》びをしながら、真っ青な空へ高くかざした。

「あー……。なんか、世界とか救いてぇなあー」

EULEN SPIEGEL

第弐話

Red it be

あの人は言った。
完璧な位置、完璧な姿勢、完璧な視野、
完璧なライフルが私を貴族にする――と。
言い換えるならこうだ。
完璧などというどこにも存在しない幻を
信じる以外に貴族になるすべがなかった
脆く儚い人間だったと。

壱《いち》

〝克服《こくふく》あれ〟

唐突《とうとつ》な声。

少女の心の、どこか六千万光年ほど彼方《かなた》で響《ひび》く、虚《うつ》ろなこだま——その一片《いっぺん》。

だが彼女に反応なし。

少女はそれを聞かなかったことにして新しい包みを開いた。

噛《か》み終えたものをきちんと包みに収め、新しいそれを唇《くちびる》の狭間《はざま》に押し込み、この上ない規則正しさで噛み始める。

んぐ、んぐ、んぐ、んぐ、んぐ、んぐ、んぐ＝非の打ち所のない八拍子《びょうし》。

ふっくらとした唇の間から、ぷーと膨らみ出る風船ガム。

長い火《ロート・グリューエント》のような赤髪／冷たく澄《す》んだ灰色の瞳《ひとみ》／冴《さ》え冴えとした美貌《びぼう》／十四歳とは思えぬ発達した砂時計形の肢体《したい》。

その豊満な胸《モップス》の谷間を目《め》一杯《いっぱい》強調する紅《あか》いドレス／長い脚《あし》を飾《かざ》る鮮赤《フクシア》のストッキング／深紅《ボルドー》のエナメルパンプス。

広報部支給の入念で馬鹿《ばか》げた衣裳《いしょう》。

その中でもきわめつきの一品——伏射《ふくしゃ》姿勢でお尻《しり》を突《つ》き出すと丸見えになる紅いフリル付きパンティ。

お尻には『24st.Bewa/ähren!』——〝二十四時間、警戒待機《ベヴァ》／能力実証中《エーレン》！〟のプリント。

広報部の意図。

〝少女の意図的《マニッシュ》に過剰な色香《いろか》と小悪魔《こあくま》的ボディで、有象無象《うぞうむぞう》の撮影屋《パパラッチ》どもや上空を飛び回るテレビ局のヘリに憲兵隊の勤勉かつ質実剛健《しつじつごうけん》な態度をアピール〟

彼女の感想。

〝敵性の狙撃手《スナイパー》にとってはロビンフッドのリンゴ並みに絶好の標的《まと》では？〟

両者の意見を言い換えるならこうだ。

十四歳の機械化児童にして狙撃手などという規格外《イレギュラー》な存在は、優秀《ゆうしゅう》であるにしろ無能ゆえに事件中に殉職《じゅんしょく》するにせよ、市民の同情と共感を招くに十分である。

よって、彼女の死体がテレビで放映されようものなら、そもそも未成年を危険区域に配置したことはさておき、広報部は全力を尽《つ》くして犯人の非道さを訴《うった》え、憲兵隊員の勇敢《ゆうかん》さを褒《ほ》め称《たた》えるだろう。

そんな生ける広告塔《こうこくとう》たる彼女は、二十五階建てビルの屋上で狙撃用の携帯《けいたい》マットを敷《し》き／その上でうつ伏《ぶ》せになり、どでかいライフルを完璧《かんぺき》な三点支姿勢で構えている。

ガムを嚙む——膨《ふく》らませる——嚙み終えたガムの包みを綺麗《きれい》に並べる。

それ以外は見事なまでに微動《びどう》だにせず／凍《こお》りついたように身を横たえ／伏せを命じられた真《しん》紅《く》のドーベルマンの風情《ふぜい》をたたえ／その美貌は刃《は》こぼれ知らずの超硬質《ちょうこうしつ》ナイフのごとき無表情さで覆《おお》われている。

ミリオポリス第十一区《ジンメリング》の年代物のビル群。

スコープ越《ご》しに見える巨大《きょだい》な総合病院。

窓辺に並ばせられた人質《ひとじち》たち。

それらの上に広がる青空とて、彼女の灰色の目に映りはするものの、心においては何色とも認識《にんしき》されず、ただ精確に精密に精査された輪郭《りんかく》として把握《はあく》されるばかり。

ときに心の奥の六千万光年ほど彼方から声がしたり、昨夜うっかり最後まで観《み》てしまった深夜の宣伝番組『**超健康／震動《しんどう》式マッスル回転椅子《いす》**』の動作説明を回想したり、あるいは慢性《まんせい》的なアドレナリン不足による憂鬱《ゆううつ》な気怠《けだる》さが〝**もう死んでいいよお前**〟とささやくことはあれ、その精神はおおむね無我《むが》の境地の出入り口付近で横飛び運動を続けている。

それらは全《すべ》て彼女が生まれながらの優秀な狙撃手たる証《あか》し——

意志の力を逸脱《いつだつ》して別の領域へ達し、そこに居座り続けることが出来る才能の持ち主としての正しい有り様だ。

パチン——

弾《はじ》けたガムを口に戻《もど》した途端《とたん》、脳裏《のうり》にノイズが響いた。

顎骨《がっこつ》に移植された無線通信《いぬぶえ》＝本部からの連絡《れんらく》。

敵の数がどうたら／人質の身元がなんたら／視聴者《しちょうしゃ》の反応／突入を許可する書類の用意——

精神集中に入った狙撃手にとってはまさにノイズでしかない。

よく他《ほか》の狙撃手《みんな》は我慢《がまん》できるな、大人だな、と思ったところで**副長**の声。

《本部から紅犬《ロッター》へ、本部から紅犬《ロッター》へ。犯人たちが犯行声明の準備中であることが判明。連中の所属グループの特定に有用であることから突入を遅《おく》らせ、声明を待つ》

《紅犬《ロッター》から本部へ。了解《りょうかい》》

彼女の内心＝〝**うるさい**〟が無線言語化されないよう注意。

《紅犬《ロッター》へ。敵が外に出ても撃《う》つな。黒犬《シュヴァルツ》と白犬《ヴァイス》も現状維持《いじ》だ》副長の念押し。

《本部へ。了解》〝分かった黙《だま》れ〟

《紅犬《ロッター》へ。声明後の状況《じょうきょう》に留意。屋外に支援《しえん》者がいる可能性も否定できない》念押し。

《本部へ。了解》〝いいから黙れ〟

《紅犬《ロッター》へ。もう一つ。声明後に狙撃位置を変更《へんこう》するかもしれん。迅速《じんそく》に従うように》

《本部へ。了解》

〝ふざけるな〟＝精神集中を台無しにする下らない通信や移動の示唆《しさ》に苛《いら》つく彼女の心を冷静に察した少女の無線通信。

《紅犬《ロッター》より本部へ、紅犬《ロッター》より本部へ》

《どうした紅犬《ロッター》。屋外の支援者か？》

彼女の視線＝スコープ越しに並ぶ人質たち。

若いインターンは範疇《はんちゅう》外／年輩《ねんぱい》の髭《ひげ》を生やした外科医《げかい》が好み／パパって呼んだらどんな顔するかなと空想しつつ本部へ通信。

《人質の射殺許可を請《こ》う。繰《く》り返す。人質の射殺許可を請う》

みしり＝副長が怒《いか》りを込《こ》めてマイクを握《にぎ》りしめる音。

《本官は、敵制圧時に最大の障害となる彼らを現時点で除去すべきと愚考《ぐこう》します》

《……確かに愚考だ、紅犬《ロッター》。貴様の悪ふざけに付き合っている暇《ひま》はない》

《大変です本部、緊急《きんきゅう》事態です》

《なんだ陽炎《カゲロウ》!!》

犬呼ばわりから少女の本名に――副長の憤激《ふんげき》の兆《きざ》し。

その望ましい結果を、さらに完璧なものにすべく返信。

《副長のつれない返答により本官の自殺願望が刺激《しげき》されました。至急、私の飛び降り自殺許可を請う。繰り返す。至急、私の飛び降り自殺許可を請う》

《別命あるまで警戒《けいかい》待機だ、陽炎!!》

がちゃん＝副長がマイクを叩《たた》きつけ通信アウト。

なんだかんだ言って最後まで聞いてくれるんだな、この人——

淡々《たんたん》と思う彼女／少女＝すなわち紅犬《ロッター》こと陽炎は、再び訪《おとず》れた静寂《せいじゃく》の中、ぷーとガムを膨らませている。

パチン——暇つぶしにスコープを移動。

三百メートル先のビル——非常階段。

事件進行中の当該《とうがい》病院へひとっ飛びで侵入《しんにゅう》可能な位置で、ショートホープに火をつける少女を視認。

広報部支給の黒いミニのワンピにエナメル靴《ぐつ》。

ジッポライターに『A.S.A.P.』＝〝可能な限りさっさとやれ《アズ・スーン・アズ・ポシブル》〟の刻印。

短気な小隊長にふさわしい格言。

足下《あしもと》には踏《ふ》み消された吸い殻《がら》×一箱分。

《十一本目か、涼月《スズツキ》》

黒犬《シュヴァルツ》＝涼月が煙《けむり》を噴《ふ》き出す。
むせる／ぎろっとした目。
こちらの位置をつかめず、くわえ煙草《たばこ》のまま、宙に向かって凛《りん》としたファックサイン。
《てんめー、せっかく誰《だれ》も見てねーのに、覗《のぞ》いてんじゃねーっつの》
《ヒマでね。喫煙《きつえん》は緩慢《かんまん》な自殺という言葉を知っているかい？》
《知るか。てめーは色ボケた頭ん中で、人質《ひとじち》の寸評会でもやってやがれ、タコ》
《怪《あや》しい人物を発見》
レーザー照準器《サイト》をオンに――涼月の胸元《むなもと》に紅《あか》い光点が生じる／待機中なので引き金はロックされたまま。
涼月――怒《いか》り狂《くる》うかと思ったら、すぱーっと一服。
やれやれという感じで腕《うで》を組む／じとっとした目。
《てめー、なんか嫌《いや》なことでもあったのか？》
《む……》
確かにちょっと苛つき気味かも／なんでだろう／というか、よりにもよって涼月に図星を衝《つ》かれたことの方がむかつく。
《返事しろっつーの、この馬鹿《ばか》女》

《大人な発言をするお前は嫌《きら》いだ》
《なんだそりゃ》呆《あき》れ声。
《ニコチンのせいで胸がないんだ》ぼそり。
《余計なお世話だ風船ガム野郎《やろう》！　てめーの無駄《むだ》にでかい胸でも標的《まと》にしてやがれ！》
たちまち飛んでくる罵詈《ばり》雑言《ぞうごん》を無視――照準器《サイト》をオフに。
スコープを移動――五十メートルほど右手の地上／待機中の装甲車《そうこうしゃ》の上で、浮《う》き浮きステップを踏む少女を視認《しにん》。
白金の髪《プラティン・ブロンド》／澄《す》み切った青い瞳《ひとみ》／広報部支給の白いワンピにソールシューズ――優雅《ゆうが》で軽快なマルチーズの風情《ふぜい》。
その晴れやかな笑顔《えがお》を、しばしスコープ越《ご》しにて観賞。
いつも可愛《かわい》いなあ、歌ってくれないかなあ、と堪能《たんのう》。
一方で涼月がガミガミ何か言っているが、無線の音量を最小にしてやり過ごすうち、ふと少女が正確にこちらを向いた。
《なにかキラッと光りましたよ！　もしかしてー、陽炎かなーと夕霧《ユウギリ》は思います！》
《よく分かったね、夕霧》
《えへへ。あっ、ところで夕霧は思いつきましたよー。名づけて、病院ソングー♪》

《歌っておくれ、夕霧》
《はーい！》
右手を挙げて素直《すなお》に応答。
《あっるーっ日っ♪　病院っにっ、行きまっしったっ♪　入ったら四百ユーロっ♪　包帯巻いて二百ユーロっ♪　検査したら三百ユーロっ♪　でも一番偉《えら》いのはお医者様ー、お大事にーの一言でぇ五百ユーロもかかりますー♪》
その不謹慎《ふきんしん》かつ事実そのものの歌が、途中《とちゅう》から通信班による暗号化フィルターに引っ掛《か》かってノイズの海に。
だが陽炎は気にせず、最後まで拝聴《はいちょう》。
《素敵な歌だね、夕霧。ちなみに医療《いりょう》費の異常な高騰《こうとう》は、貧富《ひんぷ》の差の拡大で健康保険が破綻《はたん》したせいだよ》
《陽炎さんは物知りですねー。じゃあ次はお医者様ソングー♪》
そのとき、突如《とつじょ》として、病院の方から猛烈《もうれつ》な音声が勃発《ぼっぱつ》。
「我々はー!!　ここに要求するー!!」
陽炎の即応《そくおう》──素早くスコープを戻《もど》す。
病院の屋上。

拡声器とメモ用紙を手に哮《ほ》える男。

スキンヘッド／両肩《りょうかた》にごつい動力装置／全身機械化。

機械化された肉体の制御装置《バランサー》を外し、寝返《ねがえ》りを打った拍子《ひょうし》に自分の首を切断しかねないパワーを手に入れた改造サイボーグ──またの名を馬鹿。

《おーお、頭の足んなそーな化け物が何か言ってら》

囃《はや》すような涼月。

《夕霧が歌ってたのぉー》

ぶすっとした夕霧。

「今ここに、胎児《たいじ》を殺した中絶医師に天誅《てんちゅう》を下さん！」

男の声明／要求。

避妊《ひにん》と中絶を奨励《しょうれい》する反キリスト教的政党は退陣《たいじん》せよ／ローマ法王に中絶否定を明言させろ／拘留《こうりゅう》中の仲間を釈放《しゃくほう》せよ／自分たちを合法的な政党として認めよ。

ふと疑問。

スコープを人質へ向ける──名札を視認。

産婦人科と一緒《いっしょ》に、肛門《こうもん》外科《げか》や胃腸科の医者がいるのはなぜだろう？

さらに男の声明──ホモセクシャルは認めない／性転換《せいてんかん》は犯罪／同性愛者を逮捕《たいほ》せよ／同性

愛者同士の結婚《けっこん》を法律で禁じろ。

あー、納得《なっとく》。

涼月＝うんざり。

《アホか、あの禿《は》げ。病院を占拠《せんきょ》するほどのことかっつの》

夕霧＝感心。

《ローマ法王さんにも会いたいなんて、欲張りな人ですねー》

陽炎＝解説。

《避妊も中絶も同性愛も、四十年前は犯罪だったからな。ごく最近も、中絶手術をした医師への狙撃《そげき》や、病院を爆破《ばくは》した犯人が無罪になった。中絶手術や経口避妊薬に関係する医師へのテロは、欧米《おうべい》では多数の国民から支持され、胎児の命を救うという大義名分で、多くの命が奪《うば》われた》

《ひでーな。今は違《ちが》うんだろ》

《9・11のお陰《かげ》でな。アメリカのツインタワーが破壊《はかい》されたせいで、テロ全般《ぜんぱん》が悪とみなされ、超《ちょう》保守的な生殖《せいしょく》至上主義を標榜《ひょうぼう》する、政党崩《くず》れのテログループも否定された》

《アッラーもびっくりの展開だぜ》

《子供は大事でもテロはいけませんねー》

《避妊や中絶や同性愛を、宗教へのテロとみなす者がいるということだ。夕霧もそんなものに巻き込まれないよう、自分を大切にしなければいけないよ》

《はーい♪》

《意味分かってんのか、夕霧……》

涼月の声が尻《しり》すぼみに──突然のサイレン。

猛《もう》スピードで病院に向かう一台の救急車。

《病院が乗っ取られたことも知らねーレスキュー隊って説は？》

緊張《きんちょう》を帯びる涼月。

《ありえない。第十一区《ジンメリング》内の全救急隊員に通達済みのはずだ》

陽炎──スコープ越《ご》しに救急車を視認《しにん》。

閉《と》ざされたカーテンの隙間《すきま》──車両後部に積まれたガソリンタンクの山。

《テロ支援《しえん》と思われる救急車両が接近！》

待機中の全狙撃手が、同じ内容を次々に緊急通信。

封鎖《ふうさ》線＝隊員が、救急車に向かって、拡声器で停車勧告《かんこく》。

装甲車《そうこうしゃ》の上の夕霧が振《ふ》り返る。

《来ましたよー♪》

停《と》まらない救急車——さらに加速。
副長が強制停止を指示——前衛の隊員らが発砲《はっぽう》。
運転席にいた男の頭が吹《ふ》っ飛んだ。
真っ赤に染まるフロントガラス——前輪に銃撃《じゅうげき》＝両方のタイヤが破裂《はれつ》。
横転——砕《くだ》けたガラスをまき散らし、救急車が滑《すべ》り込んでいって装甲パトカーに激突《げきとつ》。
爆発。
光——火炎《かえん》の渦《うず》。
道路両側の樹木と商店が燃え上がり、封鎖線が火に包まれた。
装甲車の上に降り注ぐ火の雨——笑顔《えがお》で炎《ほのお》ダンスを踊《おど》る夕霧。
《黒犬《シュヴァルツ》・紅犬《ロッター》・白犬《ヴァイス》——！〈猋《ケルベルス》〉、全頭出撃《アル・シュトウルム》！　繰《く》り返す、全頭出撃《アル・シュトウルム》！》
副長の緊急通信——三人の少女がそれぞれ予備動作無しの迅速《じんそく》反応。
涼月——非常階段から病院へひとっ飛び。
夕霧——装甲車から跳躍《ちょうやく》——ビルの壁《かべ》を蹴《け》り、噴《ふ》き上がる炎よりも遥《はる》か高みへ躍《おど》り出る。
陽炎——支援要請《ようせい》に従い、ライフルを抱《かか》えて屋上から跳躍。
七メートル先のビルのテラスへ向かって雄大《ゆうだい》な弧《こ》を描《えが》きながら要請。
「**転送を開封**」

宙を舞《ま》う陽炎の手足が、エメラルドの幾何学《きかがく》的な輝《かがや》きに包まれた。

〈特殊《とくしゅ》転送式 強襲機甲義肢《きょうしゅうきこうぎし》〉＝通称《つうしょう》〈特甲《トッコー》〉が機能を発揮。

遠吠《とおぼ》えにも似た音を発し、ライフルと服ごと粒子《りゅうし》状に分解＝置換《ちかん》。

指・腕《うで》・脚《あし》が、強力な武器・弾薬《だんやく》・強化義体に変貌《へんぼう》——紅《あか》いシャープなフォルムの機甲／各急所をカバー。

右腕と一体化した巨大《きょだい》な超伝導式《レール》ライフル——一瞬《いっしゅん》で起動。

テラスに優雅《ゆうが》に着地。

膝《ひざ》をコンクリートの上に滑らせ、ガムを膨《ふく》らませながら病院を振り返る。

膨大《ぼうだい》な情報を脳の視覚野で確認。

複数の通信班の車両による三点式位置探査・超音波・各線探査情報——両手足に高度な震動《しんどう》式探知機・ライフルのレーザー照準器《サイト》をオンに。

スコープがとらえたものが視界中央に具現された。

数百メートル先の建物の壁の内側を透視《とうし》——まるで別次元への窓が開いたかのような光景。

パチン——ガムが弾《はじ》ける／準備完了《かんりょう》＝一秒余。

紅い鋼鉄の四肢《しし》を持つ少女が、膝立ちの姿勢でライフルの安全装置《セイフティ》に解除を命じ、銃身が熱を帯びるまでのさらに一秒かそこらの間に、その日最初のターゲットをとらえた。

病棟《びょうとう》の通路を、ロケット弾《だん》を抱えて走る三十代くらいの白人の男。

遮蔽物《しゃへい》の角度が瞬時に計算され／鼓動《こどう》が鎮静《ちんせい》し／瞑想的《めいそう》ともいえる射撃体勢において／殺すとか打ち倒《たお》すといった考えは全くないまま／ただ精確に静かに、刃物《はもの》のような虚無感《ニヒル》と、聖母のような優《やさ》しい指使いのイメージで、自分の手と一体化した引き金に、撃鉄との連結の解除を命じた。

何かの審判《しんぱん》を下すかのような、とてつもない轟音《ごうおん》。

超音速《ちょうおんそく》で発射された特大のケースレス弾が、窓ガラス＝カーテン＝廊下《ろうか》に飾《かざ》られた風景画＝コンクリートの壁＝ロケット弾を構える男の首から上を、一瞬で吹き飛ばした。

必中必殺——紅犬《ロッター》こと通称〈魔弾の射手《フライシュッツ》の陽炎〉の本領発揮。

濛々《もうもう》たる血の霧《きり》が立ちこめ、後から来た仲間が茫然自失《ぼうぜんじしつ》のていで立ちすくんだところへ、第二弾を放った。

複数の探査情報によって浮《う》かび上がる敵の姿。

まだ若く、熱意を秘《ひ》め、自動小銃を抱えた青年——その首に弾丸が命中。

頭部が離《はな》れてどことも知れぬ場所へ転がり、失われたものへ慌《あわ》てて手を差し伸《の》べるような仕草をしながら胴体《どうたい》がくずおれる前に、陽炎は素早《すばや》くスコープを移動。

精密な狙撃《フォロー》をもって、小隊／他部隊を次々に支援《しえん》／敵を足止め。

南面・最上階。

漆黒《しっこく》の特甲少女。

両手足に超震動型雷撃器《らいげきき》を内蔵した黒犬《シュヴァルツ》こと通称〈対甲鉄拳の涼月《パンツァーファウスト》〉が、通路を見張っていた複数の武装犯を瞬殺。

拳《こぶし》が触《ふ》れた瞬間に防弾プロテクターごと相手を粉砕《ふんさい》――血の霧／そのまま壁を破壊《はかい》してナースセンターへ突撃敢行《かんこう》。

あまりに見え透《す》いた目標――先ほど屋上で声明をぶち上げていた改造サイボーグに向かって一直線に突撃敢行。

〈猋《ケルベルス》〉遊撃小隊の小隊長の悪癖《あくへき》＝目立つ敵にはすぐに突《つ》っかかる、無類の一騎打《いっきう》ち好き。

言い換《か》えるならこうだ。

馬鹿《ばか》。

改造サイボーグのパンチをかわした涼月の右フック。

打撃――相手は反対側の壁に叩《たた》きつけられるも、すぐに起き上がって果敢《かかん》に前進。

頭に血が昇《のぼ》ると周囲が見えなくなる馬鹿同士の殴《なぐ》り合いなどというものには全く興味のわかない陽炎の精密無比な狙撃《フォロー》。

壁を貫通《かんつう》した弾丸が、改造サイボーグの腹部に命中／爆発《ばくはつ》／はらわたがクラッカーの紙吹雪《かみふぶき》並みに舞い飛んだ。

《あたしの獲物《えもの》だぞ!!》

怒声《どせい》——血飛沫《ちしぶき》を避《よ》けて、慌てて飛び退《の》いた涼月。

《それはすまなかった》

淡々《たんたん》とスコープを移動。

病院入り口。

MPB《エムペーベー》〈怒濤《ドランク》〉中隊による激しい銃撃戦《じゅうげきせん》。

ふいに敵の背後——緊急《きんきゅう》外来入り口から、銀色の輝きが飛来。

血風——歌声／朗《ほが》らかに。

《ティンクル・ティンクル・テロリズムー♪　ハウ・アイ・ワンダー・スライスチーズッ♪》

白銀の特甲少女＝指先から放射される幅《はば》二ミクロンのワイヤー×10が乱舞《らんぶ》。

白犬《ヴァイス》こと〈悪ふざけの夕霧《オイレンシュピーゲル》〉が、歌って踊《おど》れる殺人ミキサーと化して遊撃／武装犯たちの五体が切断されて宙を舞《ま》う。

その歌を聞きつつ、隣《となり》のビルに跳《と》び渡《わた》り、構え／狙《ねら》い定め／撃《う》った。

人質《ひとじち》を移動させようとしていたターゲットを、まばたきする間もかけず狙撃《フォロー》——次々に撃ち倒した。

〈怒濤《ドランク》〉中隊がロビーを制圧――人質が解放され、次々に屋外へ出てゆく。

事態は収束に向かうと思われた、そのとき。

銃声――晴れた青空に高らかに響《ひび》く。

激しい悲鳴――解放されて外へ出た人質たちが、一人また一人と撃ち倒された。

副長の憤激《ふんげき》。

《敵性の狙撃手だ！　人質を屋内へ戻《もど》せ！　各狙撃員は敵の位置を割り出し、即《そく》射殺しろ！》

《おいおい。お前か、陽炎？》

ロビーに向かう涼月＝意地の悪い声。

《馬鹿》

冷ややかに返答。

脳裏《のうり》に飛来した弾丸の弾道情報を画像化《ヴイジユアライズ》――周囲のビル群から敵を探す。

刹那《せつな》、それが見えた。

念のため発していた暗視用探査――本来なら暗闇《くらやみ》での視覚補助装置に過ぎないそれは、万一、敵性の狙撃手がレーザー照準器《サイト》を自分に当てていたときに効果を発揮し、死の宣告である射手の視線を、事前に警告してくれる。

そして今まさに、青空という名の虚無《きよむ》の果てから突如《とつじよ》として発射されたかのような、おぼろな黄色い光が一条、陽炎の胸元《むなもと》へ伸びて、明確な紅《あか》い光点を結んでいた。

そんなときでも陽炎は冷静そのものの心でいる。

さっと身を投げ出し、紅い光点を避け、逆に自分の宣告がどんなものであるかを相手に教えるべく狙い定めたとき――

衝撃《しょうげき》が到来《とうらい》した。

右肩《みぎかた》に一発――巨大《きょだい》なライフルと一体化した腕《うで》に打撃。

機甲《きこう》に亀裂《きれつ》／自動的に痛覚が無《オフ》に。

鎖骨《さこつ》がねじれるような感覚を味わいながらも、全身体能力を駆使《くし》して身を投げ出し、起きあがりざま、素早《すばや》く跳躍《ちょうやく》。

生と死を分かつ一瞬《いっしゅん》において、遮蔽物《しゃへいぶつ》である給水塔《とう》の陰《かげ》に飛び込んだ。

その寸前――背をかすめるようにして弾丸《だんがん》が飛来＝屋上に弾痕《だんこん》を刻んだ。

驚愕《きょうがく》。

違《ちが》う角度から来た!?

陽炎は損傷した肩口に特定して〈再転送〉を要請《ようせい》――エメラルド色の輝《かがや》きとともに一瞬で新品に取り替《か》えられた後も、じっと動かず、敵の視線＝光線を探した。

強い疑念――なぜ当たった？

敵の光点は外したはず。敵が一瞬で照準器《サイト》をオフにして移動し、狙い直した？　一秒かそこらの間に？

それとも――

三秒――五秒――十秒が経過――光線は現れず。

敵の狙撃《そげき》は人質二十数名のうち、五名を射殺したところで、ぴたりとやんでいる。

突撃命令から四分強が経過。

やがて陽炎は、見えざる敵が去ったことを察し、給水塔の陰から出た。

弐《に》

MPB《エムペーベー》本部ビル地下一階――射撃訓練場。

全狙撃手に対する副長からの〝訓練命令〟＝ペナルティ。

人質の死／敵狙撃手を予測できず／発見できず／射殺できず。

その失態を、非番だった者の胸にも刻ませるという大きなお世話に、副長の画像を的にインプットしたりする狙撃手たちでごった返す中――

陽炎は平静に、淡々《たんたん》と実弾射撃をこなしている。

《当たりましたぁーっ♪　夕霧の勝ちぃーっ♪》《あ、もう、くっそー》
歓声《かんせい》＋うめき――鼓膜《こまく》を守るためのヘッドホンをつけた涼月と夕霧の無線通信。
射撃中の陽炎のすぐ後ろで、晩御飯《ばんごはん》のデザートを賭《か》けて対決中。
《ほら、次いけ次》
せかす涼月。
《今ので終わりだ》
陽炎――ぷーとガムを膨《ふく》らませて仕切り板の電子パネルを指さす。
X《ヒット》の表示×百――距離《きょり》は全《すべ》て六百メートル。
実際に地下室にそれだけの距離があるわけではなく、標的は百メートル先にあり、遠近感は
立体映像によって再現されている。
《小隊長の命令だっつの。あと十発――》
涼月がボックスに手を突《つ》っ込む。
弾丸を取り出し、ふとそれに見入った。
全てケースレス弾＝火薬を固めて弾頭を覆《おお》い、薬莢《ケース》の代わりにしたもの。
その火薬の色みの差を利用し、何かの文字が浮《う》かび上がっていた。
緑の火薬に紅《あか》い字――『S∽I』。

涼月＝弾丸をつまんで。
《なんだこの文字？》
《各狙撃手に分配される弾丸を識別するための、個人標だ。担当者に言えば自分の好きな文字や模様を入れてくれる》
涼月の手から弾丸を取り、さっと弾倉に収めた。
《あと十発だな？》
《つか、それ、なんて意味だ？》
《なにが？》
残りの弾丸を、涼月の目から隠《かく》すように、さくさく装塡《そうてん》。
《弾《たま》の字だよ。……それって字か？》
《さあな》
ぷいと標的の方を向く。
《んだよ教えろよ、気になんだろー》
《うふふー、夕霧には分かりますよー》
《本当かよ。また適当じゃねーの？》
《夕霧は知ってるからね》

陽炎＝ぼそり。
《もー、涼月のひねくれ屋さん。そんなんじゃ夕霧に勝てませんよ？》
夕霧＝誇《ほこ》らしげ。
《んだよ、てめーら。そーいうのよくねーぞ》
涼月＝疎外感《そがい》。
そこへ野太い男の声。
《まだやるのか？》
三人が揃《そろ》って、ライフルと弾丸《だんがん》のケースを抱《かか》えた男を振《ふ》り返る。
《こんにちは♪《グリュス・ゴット》　ミハエル中隊長さん♪》
夕霧の天真爛漫《てんしんらんまん》な挨拶《あいさつ》。
男がほんの少しだけ唇《くちびる》の端《はし》を上げて、優《やさ》しい微笑《びしょう》を返す。
ＭＰＢ〈怒濤《ドランク》〉中隊隊長ミハエル・宮仕《ミヤシ》・カリウス。
壮年《そうねん》／長身／丸太を削《けず》ったような逞《たくま》しい体／短く刈《か》った金髪《きんぱつ》／ひどく静かな茶色の目／左眉《ひだりまゆ》に走る傷痕《きずあと》／フランス人とオーストリア人のハーフ。
優秀《ゆうしゅう》な射手というより、自身が標的《トロフィー》にされながらも生き抜《ぬ》いてきた、タフで俊敏《しゅんびん》な大角鹿《おおつのじか》の風情《ふぜい》。

《おつかれさんだな、小隊全員で狙撃手《そげき》のペナルティに付き合ってやるとは》
ぽんと夕霧の肩《かた》を叩《たた》き、陽炎のいるブースに自分のライフルと弾丸を置く。
《ミハエル中隊長にまで訓練命令？》
涼月――ミハエルの弾丸を覗《のぞ》き込みながら。
《いいや。若い連中に引き金と弾の関係ってやつを見せてやろうと思ってな。で、ノルマを終えたやつがいたんで来てみたら、そいつはまだ撃《う》つ気まんまんだったってわけだ》
《毛頭ありません》
陽炎――淡々と／ライフルから弾丸を抜き、場を譲《ゆず》る。
《一発ずつ交代で当てるたびに、五十ヤードずつ遠ざけていく。外した方が飯を奢《おご》る。これで撃つ気になったか？》
《毛頭――》
陽炎を遮《さえぎ》る涼月＋夕霧。
《それってあたしらも？》《夕霧はー、日本食のテンプラが食べてみたいと思いまーす！》
《よし。良いだろう。俺はお前ら三人分は食うからな》
ミハエルが陽炎を見る――渋《しぶ》い笑《え》み。
《隊員の期待に応《こた》えてやるんだな、スナイパー《シャルフシュッツェ》》

《私の訓練規定ではヤードではなくメートル測定です》
陽炎――相手のライフルを一瞥《いちべつ》。
《そのスコープは規定外のものでは？》
《測定はお前さんに合わせる。それと、デジタル表示の測定器は必要ない。俺には弾を的に当てる技術《スキル》があるからな。どこを撃てばいいか教えてくれる技術《テクノロジー》なしじゃ、的も分からん素人《しろうと》じゃないってことだ》
陽炎――パチンとガムを弾《はじ》かせて。
《どちらが先に？》
《俺からやろう。小隊長、俺の弾をくれ》
《うぃーす》
涼月が箱から弾丸を一つ取り出す。
ケースレス弾――紅《あか》い文字＝『中』。
《なんすか、この文字？》《変な形の十字架《じゅうじか》みたーい♪》
涼月十夕霧の好奇心《こうきしん》――ミハエルが弾丸を受け取る。
《昔、日本人《ヤパーナー》の戦友に教えてもらったまじないでな。〝中《アタル》〟と読む》
ミハエルが弾丸を薬室に送り込み／構え／狙《ねら》う――その動作があまりに滑《なめ》らかで素早《すばや》く、危険な緊張《きんちよう》に満ちていたせいで、涼月と夕霧が黙《だま》り／陽炎が目をみはった。
静止――完璧《かんぺき》な。
彫像《ちようぞう》と化したミハエルの指が、ゆっくりといつの間にか引き金を引いた。
銃口《じゆうこう》が跳《は》ね上がった。
弾丸が標的を穿《うが》ち、モニターが六百メートル先のX《ヒツト》を告げた。
《すごーい♪》
無邪気《むじやき》に感心する夕霧。
《あー……負けたときは誰《だれ》が払《はら》うんだっけ？》
たちまち腰《こし》が引ける涼月。
《心配するな。私が払う》
陽炎――弾倉をライフルに叩き込み、前へ出る。
《熱くなったか？》
ミハエル――モニターを操作＝標的の距離《きより》を五十メートル先へ移動。
《別に――》
〝やっつけろ〟
彼女の躍起《やつき》になる気持ちを冷静に抑《おさ》え、ライフルを構えた。

にわかに声が響《ひび》いた。

《全狙撃員へ。訓練を中止し、装備を担当者に預け、大隊会議室に集合せよ。繰《く》り返す――》

屋内放送＝副長による招集の声。

完全に無視――陽炎が引き金を絞《しぼ》った。

その一瞬《いっしゅん》前――ミハエルが何か呟《つぶや》いた。

銃声。

六百五十メートル先の架空《かくう》の標的を弾丸《だんがん》が穿ち、モニターがX《ヒット》を表示――せず。

弾丸は、標的の中央から十センチほどずれた場所に着弾していた。

ぽかんとなる涼月と夕霧。

外した的を見つめる陽炎に、ミハエルが言った。

《集合に遅《おく》れるな》

ライフルを抱《かか》えて去るミハエルの背を、陽炎は、ちょっと呆然《ぼうぜん》となって見つめた。

聞き間違《まちが》いだろうか？

いや、確かにあの男は彼女に向かって言ったのだ。

彼女が引き金を引く瞬間を、正確に読んだ上で。

〝克服《こくふく》あれ〟――と。

参

MPB《エムペーペー》本部ビル二十二階――大隊会議室。

集合した狙撃《そげき》手たち＝総勢二十二名。

「――先の現場で支援《しえん》テロを行った〝射手〟の狙撃地点が判明したが、依然《いぜん》として正体はつかめていない。MPBの管轄《かんかつ》外でも同種の犯行が認められることから、この〝射手〟は複数のグループに雇《やと》われた傭兵《ようへい》的な人物である可能性が高い」

副長フランツ・利根《トネ》・エアハルト――長身痩軀《そうく》／エリート風の銀縁眼鏡《ぎんぶちめがね》／二重三重の搦《から》め手を得意とする、通称《つうしょう》〈蜘蛛《くも》の巣フランツ〉の解説。

「また射殺された医師たちはいずれも政府高官のお抱えばかりだ。そもそもの占拠《せんきょ》事件が宗教的かつ政治的な声明を伴《ともな》うものであったことから、〝射手〟は極《きわ》めて危険な反政府的人物とみなされ、〈憲法擁護テロ対策局《BVT》〉が直接その対応に乗り出すことが決定した」

副長が視線を横へ。

そこに、どっしり座った大隊長オーギュスト・天龍《テンリュー》・コールの姿。

巌《いわお》のような体軀／銃口より容赦《ようしゃ》ない眼差《まなざ》し／会議中も事件中も滅多《めった》に声を発さぬ男――通称

〈沈黙《ちんもく》のオーギュスト〉が、ほんの僅《わず》かに顎《あご》を下げてうなずき返す。

「この件についてBVT局長から、MPBに直接お話がある」

副長が檀上《だんじょう》で受話器を取る。

上部組織への直通電話。

「……は、局長。準備が整いました」

副長の背後——壁《かべ》一面の大モニターが点灯。

痩顔《そうがん》の男の顔が映し出される。

黒ずくめのスーツ／黒眼鏡の奥で光る神経過敏《かびん》気味の目つき／静かで凶暴《きょうぼう》な黒いカマキリを連想。

この男に比べたら、まだ副長の方が話の分かる人間に見えるな——陽炎の所感。

蜘蛛とカマキリってどっちが強いのかな、というか両方とも罠《わな》を張って待ってるだけだから戦いにならないか、などと頭の中で想像。

男の手に受話器＝テレビ電話。

きびきびとした右翼《うよく》的演説口調＝声。

「BVT局長エゴン・ポリだ。このたび我が局が管轄する〈憲兵特殊部隊《コブラ・ユニット》〉および〈第二作戦部隊〉から、選《え》りすぐりの狙撃手を集め、くだんの〝射手〟を駆《か》り出す作戦が立案された」

〝馬鹿《ばか》言え〟

内心での彼女の批判を、陽炎が冷静に顔に出さないようにする。

「ついては諸君からも参加者を募《つの》りたい。愚劣《ぐれつ》な犯行を繰り返す犯罪者に対し、この都市の治安を守る者の優秀《ゆうしゅう》さを断固たる一撃をもって知らしめる気概《きがい》のある者は、今この場で意思を表明するもよし、のちほどその意思を大隊長に示すもよしだ。むろん不参加の意思を表明する者もいるだろうが、この都市の法執行者《しっこう》たる諸君においては、そのような臆病《おくびょう》で卑怯《ひきょう》な姿を同《どう》僚《りょう》の前にさらすことをよしとする者はいないと思う」

〝話長いなあ〟

彼女の雑感につられ、思わず挙手。

「見たまえ、早速《さっそく》の志願者だ」

黒カマキリが満足そうにうなずく。

「辞退します」

淡々《たんたん》と相手を遮る《さえぎ》彼女の声。

「……なに?」

局長——険を帯びる顔の中で目だけがぎらぎら光っている。

副長も大隊長も微動《びどう》だにせず無表情。

最前列に座ったミハエル中隊長が小さく肩《かた》をすくめ、他《ほか》の狙撃手たちも白けた様子でいる。

言い換《か》えるならこうだ。

みな彼女と同じく、狙撃手ＶＳ狙撃手などという馬鹿げた発想は政治家の自己満足か市民への無意味な娯楽《ごらく》提供に過ぎないと考えているのだ。

必要なのは、敵の潜伏《せんぷく》場所を突《つ》き止めることであり、相手にライフルを持つ隙《すき》を一切与《いっさいあた》えず、素早《すばや》く包囲することであると。

また彼女と違《ちが》う点は、そんな批判を大っぴらに表明し、治安機構の権力者に睨《にら》まれるような馬鹿な真似《まね》はしないということだ。

途端《とたん》に色々と面倒《めんどう》くさくなって、ぷーと風船ガムを膨《ふく》らませると、局長の顔が凶悪なまでに引きつるのも構わず、パチンと弾《はじ》けさせて言った。

「死にたくないので辞退します」

「なら、なぜそこにいる？」

局長——激怒《げきど》から、むしろ穏《おだ》やかささえ帯びた声。

陽炎の起立／びしっと敬礼。

ガムを膨らませつつ回れ右——会議室を去った。

〝克服《こくふく》あれ〟

心のどこか六千万光年ほど奥でこだまする声が、はっきり聞こえた。

陽炎はぱちっと目を開き、薄暗《うすくら》がりの中、散らかし放題に散らかしまくって床《ゆか》も見えない自分の部屋を見た。

久々に来た――と思った。

忘れたはずのものが甦《よみがえ》ろうとしている。声はまさに悪夢の前兆だ。

理由は？　〝射手〟のせい？　弾丸《だんがん》を食《く》らったから？

いや。それより前から声は聞こえていた――苛《いら》つきの理由。

それがミハエル中隊長との間抜《まぬ》けな勝負や、意味深な呟《つぶや》きや、馬鹿げた狙撃《そげき》合戦の話で刺激《しげき》されたのだ。

これは困った。

冷静に思案――時刻がまだ午前0時前なのを確認《かくにん》。

枕《まくら》を片手に部屋を出て、隣《となり》のドアをノック――返事も待たずに開いた。

「てめー……」

机に向かっていた涼月が振《ふ》り返る／睨む――乱視用の縁《ふち》なし眼鏡《めがね》。

「高校受験の勉強か？」

入室――枕を抱《だ》いてベッドに腰掛《こしか》ける。

「無駄《むだ》だぞ、涼月。特甲《とっこう》児童としての労働期間を変えるには、よほどの点数を取らねばならない。とはいえ私が手伝えば大いに助けになるかもしれんが」

「お前な……眠《ねむ》れねーから話し相手になってくれって素直に言えっつーの」

「なってくれるのか？」

「ざけんなタコ。夕霧んとこ行け」

「それはなしだ。幾《いく》ら私でも、夕霧の壮絶《そうぜつ》な寝相《ねぞう》の悪さに付き合う勇気はない」

「だったら一人で羊でも数えてな」

「羊？　なんだそれは？」

「知らねーの？　眠れないときに数えんの。羊に一発、羊に二発って」

「虐待《ぎゃくたい》はよせ。悪習を親から受け継《つ》ぐな」

「受け継いでねーっつの、失礼な野郎《やろう》だな」

涼月――諦《あきら》めたように眼鏡を外す。

「一人で部屋に閉じこもりやがったくせに……てめーがどっかの偉《えら》い局長を怒《おこ》らせたっつって、あたしが副長から注意されたんだぞ」

「そんなこともあったな。ちなみにどっかの局長ではなく大隊長の直属の上司だ。どうせ副長も人員を割《さ》く気などないだろうし、それくらいで専属の特甲児童をクビにはしない」

「あー……要するにだ。昨日の事件で、てめーはどっかのタコに一発食らった。で、やり返さねー限り、スカっとしねーってんだろ」

「ふむ。それだ。そういう馬鹿《ばか》馬鹿しくて単純で分かりやすい思考が欲しかった」

「なんだと、この——」

どかん！　とドアが開かれ、寝ぼけまなこの夕霧が登場。

「もう夕霧はねむねむですよ。二人が楽しそうにお喋《しゃべ》りしてても、ちっとも起きる気がしないんです」

陽炎がベッドを叩《たた》く。

「だったら自分の部屋で——」

「おや夕霧、そんなことを言わないで、ここでお眠り」

「はーい♪」

夕霧のダイブ。

勢い余って壁《かべ》に激突《げきとつ》——構わず毛布にくるまり寝息。

「ふふふ、可愛《かわい》いなあ」

陽炎——枕を抱いて立ち上がる／退去。

「では、ごきげんよう」

「てめー！　夕霧をどうにかしやがれ！」

怒鳴《どな》り声を完全無視。

再び自分の部屋のベッドに戻《もど》り、身を横たえ、あらためて考え、そして声がまた聞こえる前に、素早《すばや》く眠った。

肆《し》

午後二時――ミリオポリス第十一区《ジンメリング》。

林立するビル――その一つ／屋上。

がらんとしたその〝犯行現場〟を、陽炎はじっと見つめた。

約七十二時間前。

本部の捜査《そうさ》データでは、〝射手〟はここから四百メートルほど離《はな》れた病院の人質《ひとじち》を射殺／M《エム》PB《ペーベー》隊員を牽制《けんせい》／自分を撃《う》った。

確かに、太陽を背にし、身を隠《かく》しやすく、病院を狙《ねら》いやすい。

だがそれだけ。

この〝射手〟は凡庸《ぼんよう》で凄《すご》みがなく、それゆえ彼女は困惑《こんわく》した。

なぜこいつの弾《たま》が当たった？　なぜこいつを事前に発見できなかった？

ガムを膨《ふく》らませる／ゆっくりと辺りを歩く／立ち止まる／首を傾《かし》げる。

「ふーん」

まるで分からない／納得《なっとく》がいかない。

コンコン——ふいにノックの音。

大きな男が、開きっぱなしの屋上のドアにもたれていた。

「意外に働き者なんだな」

口の端《はし》を少しだけ上げる笑い方——ミハエル中隊長。

陽炎は無言——咄嗟《とっさ》に反応できず。

膨らませたガムが、プシンと変な音を立てて萎《しぼ》んだ。

「いつもとずいぶん違《ちが》うな。どこの坊《ぼう》やかと思ったぞ」

ミハエルの笑《え》み。

途端《とたん》に気恥《きは》ずかしさが彼女を襲《おそ》う。

スニーカー／だぶだぶのトレーナーの上下。

上着のポケットに両手を突《つ》っ込み、前後逆にかぶった野球帽《ぼう》に長い髪《かみ》を押し込んでまとめた、飾《かざ》りっ気も何もない、これからサッカーか野球でもしに行く少年のような姿――

「非番時の服装規定に抵触《ていしょく》していないはずですが？」

気を取り直してガムを膨らませる。

プスン、という感じで途中で弾《はじ》ける／苛《いら》つく／包みに入れてポケットに突っ込む。

「俺はまた、そいつが規定なのかと思ったよ」

ミハエル――屋上の一角へ。

「ここだ」

「ここ？」

新しい包みを開いてガムを口へ放《ほう》る。

狙いを外す／頬《ほお》に当たる／床《ゆか》に落ちる――なにやってんだ――得体の知れない恥《は》ずかしさでその場に座りこみたくなる。

ミハエルは知らん顔で歩み寄ると、落ちたガムを拾い、ひょいと口の中に放り込んで、先ほど示した一角を指さした。

「あそこに、敵の照準器《サイト》が放置されていた。プログラムに従って標的を追尾《ついび》し、情報を無線でライフルのデジタルスコープに送り込む優《すぐ》れものだ」

「落ちたものですよ？」

陽炎——真顔。

「だからなんだ?」

ミハエル——ガムを噛《か》みつつ別の一角を指さす。

「あっちの手すりには登山用ロープだ。下は人通りの少ない路地裏で、逃走《とうそう》用の車が用意されていたと推測されている。ビルを下りる際、追ってきた警官と鉢合《はちあ》わせするのを避《さ》けるためだそうだ」

陽炎は、また新しい包みを取り出し、ゆっくりと丁寧《ていねい》に口の中に入れた。

顔を上げると、ミハエルと目が合った。

問うような視線——思わず目をそらした。

「敵は脱出《だっしゅつ》を第一に考えていた?」

「早とちりな捜査員や、楽観主義のお偉《えら》いさんはそう考えるかもしれん。犯人は高価な照準器《サイト》を捨ててでも、出来るだけ沢山《たくさん》撃ち、出来るだけ早く逃《に》げたがったとな。事実、照準器《サイト》のデータ分析《ぶんせき》と実際のターゲットは一致《いっち》した。被弾《ひだん》した特甲員《とっこういん》の誰《だれ》かさんもふくめてな」

また問うような目。

陽炎は、淡々《たんたん》とガムを噛むふりをし/相手に対する困惑や落ち着かない感じが消えるのを待ち/照準器《サイト》とロープと逃走車両という三つの情報が、三点式位置探査と同じ機能をもって、犯人像を浮《う》かび上がらせるのを――感じなかった。

あれ？　何か変だ――というかすかな表情の変化を、ミハエルに正確に読まれた。

「そう。どれも下らんたわごとだ。ちょっと考えれば分かるはずだ。照準器《サイト》とロープがあった。だから逃走車両があっただろうと考える自分が、そう考えさせられたに過ぎんことはな」

「つまり犯人は、わざと照準器《サイト》とロープをここに放置し、捜査を攪乱《かくらん》した？」

あの笑み――少しだけ唇《くちびる》を上げる、ひどく渋《しぶ》みのある微笑《びしょう》。

「ということは？」

思案――冷静に。

矛盾《むじゅん》や予断を丁寧に取り除く＝ガムの包みを開くように。

そして事実だけを噛み／味わい／精査された可能性を膨らませ――あるべき隠れた事実を弾《はじ》かせる。

「逃走車両などなかった。照準器《サイト》自体が囮《おとり》だった。犯人は照準器《サイト》が狙《ねら》ったものを撃っただけであって、同じ空間にいたとは限らない。つまり――ここは擬装《ぎそう》された空間であり、犯人は別の場所から狙撃《そげき》した」

「正解だ、スナイパー《シャルフシュッツェ》。的を外すばかりじゃ人生面白《おもしろ》くもないからな。お前さんがまだ例の賭《か》けを覚えているってんなら、ついでにもう一つ、面白い的を見せてやる」

移動――ミハエルの車＝ファイブドアのセダン。

きちっと整理された車内／運転席周辺に複数の携帯《けいたい》電話とモニター。

後部座席には、寝袋《ねぶくろ》／歯磨《はみが》きセット／目覚まし時計。

後部荷物スペースにキャンプ用品と釣《つ》り道具。

武骨で機械的で大ざっぱですっきりしていて、妙《みょう》に落ち着く空間。

きっと家もこんな感じなんだろうな――助手席に座る彼女の雑感。

バックミラーに吊《つ》るされた飾りが一つ――おそらく自分で加工した穴に紐《ひも》を通したもの。

古びた四角いプラスチックのブロックに紅《あか》い文字。

『中』――弾丸と同じサイン。

興味／好奇心《こうきしん》／何を喋《しゃべ》っていいか分からないので好都合な話題。

「〝アタル〟ですか？」

「昔、戦友からもらった麻雀牌《マージャンパイ》だ」

「マージャン？」

「東洋のゲームだ。ポーカーを三倍複雑にしたようなやつでな。百三十六個の牌《ブロック》のうちの四つにこのマークが刻まれている。お前、『レクター博士』三部作って知ってるか？」

「アンソニー・ホプキンス？」割と好みの俳優だった。『羊たちの沈黙《ちんもく》』と『ハンニバル』は知ってます」

「なるほど、お前さんにとっちゃ映画のタイトルかもしれんな。だがもとは小説で、『レッド・ドラゴン』ってのが第一作だ。そいつにも、このマークが出てくる。力を司《つかさど》る紅い竜《りゅう》の象《しょう》徴《ちょう》としてな。もとは中国語らしいが、俺に教えてくれたのは日本人だった」

「どういう意味なんですか？」

「X《ヒット》――つまり命中《トレッフェン》だ。日本じゃ食中毒を意味する言葉にも、この字が使われてる。毒が、命に中《あた》ってわけだ」

「危険な放送禁止用語に聞こえますが」

「そうかもしれん。俺にとっちゃ、こいつは紅い死線《キル・ゾーン》だ。レーザー照準器《サイト》がもたらす光点――狙撃手の眼差《まなざ》し、死の宣告だ」

そんなものを弾丸の印にするんだ、若いなあ――彼女の雑感。

陽炎は次の話題を探したが、ミハエルに先んじられた。

「お前の弾丸《クーゲル》のサインは、SとIの間に何かの記号だったか？　何か思い出が？」

「別に――」何となく相手の反応が見たくなる／気を引きたくなる。「――内緒《ないしょ》です」

「てことは当ててみろってことだ。さて。SとIと来たら……狙撃手《シャルフシュッツェ》とハリネズミ《イゲール》ってところか。お前さんにぴったりだろう？」

「残念ながら外れです」顔＝淡々――内心＝むかっ。「それほど、職務熱心でも強情《イグール》でもありません」

「ふむ。そうか。それじゃ――」

柔《やわ》らかなハンドル捌《さば》き。ビルの駐車場《ちゅうしゃじょう》へ車を滑《すべ》り込ませる。

停車――ドアを開く／何かを呟《つぶや》く。

「え……？」

同じく外へ出て聞き返す。

ミハエルは答える前に、ごくっと喉《のど》を鳴らした。

噛《か》みっぱなしだったガムを呑《の》んだのだ。

つくづく大ざっぱな人だなと呆気《あっけ》に取られたところへ、きわめつきの一言が来た。

「彼女《ズィー》と私《イッヒ》は？」

何気ない口調――エレベーターに向かいながら／振《ふ》り返りもせず。

思わず棒立ちになりかける／しいて歩み続ける。

狙撃手の本領発揮＝鼓動《こどう》の高鳴りを抑《おさ》え、体が予想外の動きをみせるのを封《ふう》じる。

相手に並び――呟く。

「内緒です」

ミハエルは口の端《はし》を少しだけ上げた。

エレベーター――十五階。

ハネムーン専門の旅行代理店／結婚《けっこん》式の共済組合／ウェディングドレスとタキシードの仕立て屋――見事にカップルだらけのフロア。

十代と三十代＝少女と男の組み合わせに、奇異《きい》な者でも見るような視線が集中。

だがミハエルは全く気にせず、若者向けのカフェへ。

窓際《まどぎわ》の席。

ミハエルはコーヒー、陽炎はダージリン。二人とも砂糖ミルクなし。

「奢《おご》れということですか？」

「賭けの払《はら》いは、殊勝《しゅしょう》な心がけってやつの中でも一等に近いものだからな」

何となく安堵《あんど》――とんでもなくでかいステーキでも奢らされるのかと思った。

「まさか私に合わせて、ここを選んだんですか？」

「俺とお前の職業的な見地ってやつだ」

「意味が分かりません」

ミハエルの目が地上へ向けられる。「晴れてて良かったな。はっきり見えるぞ」

その視線を追う――第十一区《ジンメリング》の林立するビル群／その狭間《はざま》／ぽつんとそれが見えた。

総合病院。

まさか、と心が反論。

距離《きょり》を目算。

確実に千メートルは離《はな》れている。病院の窓など、砂糖の粒《つぶ》ほどにしか見えない。

ありえない。離れすぎだ。ほぼ無風状態の地下訓練所ならともかく、不規則なビル風が吹《ふ》きつけるこの場所で、あの距離にいた彼女に、指先ほどの大きさの弾丸《だんがん》を当てるなんて。

「ここから最も遠い場所にいた人質《ひとじち》まで、およそ千二百メートルだ」

ミハエルがこちらを向く――まるで世界の重大な秘密を知ったような低い声。

「事件当日の午後一時から三時の間、このビルの外壁《がいへき》および窓の清掃《せいそう》が行われていた。午後二時過ぎ、清掃員を乗せたゴンドラが、ちょうどお前が座っている二メートル先の空中に来た。それから三十分ほどかけてゴンドラは少しずつ横へ移動し、〝射手〟を水平に移動させた」

「なら店の人間が気づいたのでは？」

「同時間帯、各フロアの電力および火災検知器の点検が行われ、各店舗《てんぽ》は順繰《じゅんぐ》りに営業を中止し、窓にはブラインドをおろしている。窓の外を清掃員がうろついたり、電気が止まったりと、商売の邪魔《じゃま》になることは、いっぺんに同じ時間にやってやろうってわけだ」

「清掃会社の人間が気づきます」

「グルだったら？　清掃現場の監督官《かんとく》が極右的思考の持ち主だとしたら？」

「調べたんですか？」

「俺の優秀《ゆうしゅう》な部下どもがな。監督官と労働者三名を締《し》め上げ、ある名前を吐《は》かせた」

じっとこちらを見つめる――予兆を告げるように。

「カール・マキシム・フォルメルハウゼン。オリンピック出場経験もある優秀な狙撃手《そげき》だ。六年前までこの都市のライフル友愛会に所属。この会は、六年前に中絶反対派による医師狙撃事件で関与《かんよ》を疑われ、解散している」

陽炎は無言。

真に射撃手としての天与《てんよ》の才を発揮し、微動《びどう》だにせずにいる。

「監督官たちの証言では、〝射手〟つまりカールは、ある文字を刻んだ指輪をしている。かつてのライフル友愛会の合言葉で、〈Û W〉――〝克服せよ《ユーバーヴィンデン》〟を意味する文字だそうだ」

何かが決定的だった。

なぜミハエルが自分に接触《せっしょく》したか。

途端《とたん》に彼女の中で何かが醒《さ》めた／手がレシートへ。

「では奢ります」

「つまらない話だったか?」

「興味深い話ですが、私には関係ありませんので」

陽炎の起立──相手を見下ろす／冷ややかに。

「たとえ私の父が、その友愛会のメンバーだったとしても」

ミハエルが立ち上がり、陽炎の手からレシートをひょいと奪《うば》った。

「ここで奢ってもらうと言った覚えはないぞ」

突《つ》っ張る気分──なし。

妙《みよう》な脱力《だつりよく》感。

ミハエルが清算するのを黙《だま》って見つめ、淡々《たんたん》と礼を言い、駐車場《ちゆうしやじよう》に下りて車に乗った。

車がビルを出てすぐ、ミハエルが言った。

「別にお前さんが支援《しえん》テロに関与したと思って近づいたわけじゃない。若い狙撃手と的について話してるうちに、そうなっただけだ」

何か見え透《す》いたものを感じて、思わず言い返した。

「私から犯人像を聞き出し、私に事件への積極的な参加を促《うなが》したかったのでは? 当時の友愛会がどんなもので、私の父もふくめ、どんな人間が疑われていたか喋《しやべ》らせたかったのでは?」

「なにせ俺たちの側にいる唯一《ゆいいつ》の証人だからな」

穏《おだ》やかな口ぶり――ごまかしのない響《ひび》き。

「過去、狙撃事件への関与を疑われた途端、当時の友愛会のメンバーは片っ端《ぱし》から不幸な目に遭《あ》っている。アインシュタインじゃなくたって何かあったんだろうと推察がつく」

「私は当時、八歳でした。大した記憶《きおく》は残っていません。それも疑いますか?」

「思い出してほしいとは思うがね」

黙った。

固く口をつぐむ/そのまま無言でいようとした/だが我慢《がまん》できずに口にしていた。

「当時のメンバーは、私が知る限り、みな紳士《しんし》的で友好的な人物でした。そんな彼らを疑ってかかれと?」

「それが俺たちの戦いだ」

静かな声――多くの経験を積んだ男の、乾《かわ》いた風のような口調。

「新聞じゃ公安がテロリストの戦闘《せんとう》ヘリを撃墜《げきつい》しただの、〈憲兵特殊部隊《コブラ・ユニット》〉が正々堂々と狙撃戦をするだのと書き立てているが、どれも重装備と確実な情報があってこそだ。俺たちは違《ちが》う。都市の観光資源保護法だのなんだので持てる武力を制限され、どこの誰《だれ》がテロに走るか皆目分《かいもく》からん不確かな状況下《じょうきょうか》で、あらゆる可能性に対処しなけりゃならん」

〝だからなんだ〟

苛《いら》つく——よくある新聞記事の見出しをそのまま口にする。

「まるでジャングルのゲリラ戦のように？」

「ゲリラには目標がある。支配地域の拡大や、正規軍の援護《えんご》といった目標がな。だが、こうしたテロを仕掛《しか》ける連中は気分を目的にする。自分たちが正しいという気分、大きなことを成し遂《と》げたいという気分をな。それが出世や色恋《いろこい》に結びつかなくなり、ある日突然《とつぜん》、誰かを撃《う》ってやろうと思いつく」

苛つき／悲しさ／衝動《しょうどう》／咄嗟《とっさ》の言葉。「私の父もそうだったと？」

ちらっとミハエルがこちらを見た。

武骨で機械的で大ざっぱですっきりしていて妙に落ち着く——そんな男の眼差《まなざ》し。

「いや。俺が知る限り、お前とお前の親父《おやじ》はとんでもない不幸に見舞《みま》われただけだ。そしてお前は、その不幸を生き延びただけだ。そんなお前にとって、ライフルはどうしようもなく、おっかないものだったろう。だが、お前はそいつを克服《こくふく》した。お前なりのやり方でな」

カチッ／彼女の中で何かが音を立てる——苛つきが和《やわ》らぐ。

相手の穏やかさに呑《の》まれたように。

落ちたガムを拾って食われたときの、呆《あき》れたような感心したような気分になる。

「私について詳《くわ》しいんですね」

「隊員の資料を読むのも仕事だからな。とはいえ、お前が、そんなのは全部たわごとだと言えば、それまでだ。俺が知ってるのは資料であってお前じゃないからな」

カチッ／また音がする。

「……それほど間違っていないと思います」

「何よりだ。隊員理解は、隊長としての査定に響く」

微笑《びしょう》／車は第二十四区《エーヴェー》に入り、本部ビルが近づいてくる。

「お前をこの件に関《かか》わらせたいってのは半分当たりだ。てのは、お前がBVT局長の話を蹴飛《けと》ばして出て行ったことについちゃ俺も同じ気分だからな」

「でも辞退はしない？」

「確かにお前の後で何人か同じように出て行ったが、中隊長が真似《まね》するわけにはいかん。それに、こうも思ってる。狙撃《そげき》合戦は馬鹿《ばか》馬鹿しいが、しかしこの件は、ライフルを知ってる人間がやるべきだと」

「それだけ敵が優秀《ゆうしゅう》だと？」

「それだけ相手がライフルを知っているということだ。その魅力《みりょく》と美しさを。そのろくでもなさと危険を。世の中には、お前のようになれなかった連中が大勢いて、そいつらなりのやり方で人生に復讐《ふくしゅう》してやろうと思いつく。もしそれがライフルを汚《けが》すことになるなら、同じくらいライフルを知ってるやつが、その汚れを拭《ふ》き取ってやらなきゃならんとな」

美しさ／汚す——あまりにストレートな表現に彼女は内心でちょっと呆れ、ちょっと苦笑し、そして感心した。

この人はもしかして、誰かがライフルで罪を犯《おか》すたびに、ライフルに対して申し訳ないと思うのだろうか。自分が愛するライフルに謝罪しちゃったりするのだろうか。

いや——多分、そうだ。

困ったことに、この人は、そういう素敵《すてき》な人だ。

車が本部ビルの地下駐車場《ちゆうしやじよう》に入り、隊長連中のための専用区画にぴたりと停《と》まった。

ミハエルはバックミラーに手を伸《の》ばすと、たった一つの飾《かざ》りである例の牌《ブロック》を外した。

「働き者へのプレゼントだ」

思わず受け取る——しげしげと相手を見る。

「大切な物では？」

「現場でライフルを構える身分じゃなくなってきたからな。てことは、誰かにそれを渡《わた》したくなるってことだ。俺と同じようにライフルを知り、扱《あつか》えるやつに」

あの微笑。

そしてなんと、軽く右目をつむった。

まさに不意打ちとも言えるウィンク——おお、さすが半分フランス人、と感心する彼女をよそに、その心が大きな音を立てた。

カチッ／バシュッ／ズーン——

それは予想を遥《はる》かに超《こ》えて響《ひび》き渡り、彼女をくらくらさせた。

ミハエルが車外へ出る。

陽炎が遅《おく》れてそれに従った。

ドアを閉めた——相手を見つめた／手にもらったばかりの牌を握《にぎ》りながら。

「来週、第二十一区《フロリズドルフ》でウィーン州知事がテロ否定の演説をする。当然、標的になる。その前に〝射手〟が逮捕《たいほ》されなければ、狙撃合戦の可能性大だ」

「私に、参加しろと？」

「千二百メートルの狙撃を可能にする人物が、本当に元オリンピック選手の爺《じい》さんかどうか、心当たりがあったら教えてくれ。またもし〝射手〟が逮捕できなかった場合は——お前が、やつを死線《キル・ゾーン》に叩《たた》き込め」

なんで私が？——とは訊《き》けなかった。

うっかり答えを刻まれたものを事前に受け取ってしまっていたからだ。

陽炎は、心を静めるためにガムを噛《か》み／膨《ふく》らませ／パチンと弾《はじ》けさせ——言った。

「気が向けば」
ミハエルは微笑し――去った。

伍《ご》

涼月――噛みつきそうな顔。

「だから、どこほっつき歩いてたんだっつーの」

陽炎――淡々《たんたん》と。

「散歩だ。人生について考えていたら道に迷ってしまってね」

夕霧――ニコニコ笑って。

「陽炎さんは哲学者《てつがくしゃ》ですねー♪」

MPB《エムペーベー》本部ビル二十階――情報解析《かいせき》・通信班のフロア／ロビーのベンチに並ぶ三人。

「てめーの場合、冗談《じょうだん》に聞こえねーんだよ」

涼月――ふと声を低める。

「お前がミハエル中隊長の車に乗ってたって噂《うわさ》を聞いたぜ」

「例の賭《か》けの払《はら》いで、奢《おご》らされただけだ」

「それだけか」

「他《ほか》に何か？」

ぷーとガムを膨らませる陽炎――涼月が押し黙《だま》る。

情報通の陽炎につきまとう、まことしやかな噂。

売春。

彼女はその噂を知っていたし、涼月がそのことで変に気遣《きづか》っているのも知っていた。かといってこちらに釈明《しゃくめい》する気もなければ、相手に追及《ついきゅう》する気もなく、二人とも疑惑《ぎわく》を隠《かく》すとか暴《あば》くとかいうほどの気分にもならず、大ていは曖昧《あいまい》なまま不問に付される。

「別に、てめーが道に迷おうが踏《ふ》み外そうが知ったことじゃねー。ただな、哲学だの何だので、気づいたら独りでどっかに行っちまってんのは、小隊長としちゃ迷惑《めいわく》だ」

いつも以上につっけんどんな口調――どうやら、涼月なりに心配していたらしい。

パチン――ありがたさと面倒《めんどう》くささ半々で応《こた》える。

「以後、気を付けよう」

黙然《もくぜん》となる涼月――気まずい雰囲気《ふんいき》を、夕霧が一蹴《いっしゅう》。

「あっ、哲学と言えばですねー、夕霧も、目が覚めたら**ハーゲンダッツ**になった夢を見てびっくりしたことがありますよ？」

「それは斬新《ざんしん》なバージョンだね。私が知っているのは、虫になった話だよ」

「あー……それ知ってるぞ。カフカの『変身』だろ。起きたらでかい虫になってんの」

「ほーう、お前が知っているとはな。さすが、**受験勉強**をしているだけはある」

「……なんっか、むかつく言い方だな」

「**虫味のハーゲンダッツ**ですかー。それは夕霧も想像出来ませんでしたねー」

「すんな!!」

跳《と》び上がる涼月——涙目《なみだめ》。

「うっぉーい！　想像しちまったよ気持ち悪《わり》ぃーっ！」

「ふふふ。**哲学度**が足らないな、涼月」

「むふー。夕霧は高いですよ**哲学度**♪」

「なんの**度**だ！」

涙目でわめく涼月——その背後でふいに声。

「どうしたの、涼月ちゃん？」

データディスクを手にした、細い体躯《たいく》の少年。

ＭＰＢの解析通信員——マスターサーバー〈刕《レイ》〉の接続官《コーラス》にして、可憐《かれん》といっても差し支《つか》えなさそうな顔立ちと佇《たたず》まいをした少年——**吹雪《フブキ》・ペーター・シュライヒャー**。

「ちょ……ちょっと待て、吹雪」

頭を振《ふ》る涼月――をよそに、立ち上がる陽炎＋夕霧。

「やあ」「こんにちはー、吹雪くん」

「こんにちは」

吹雪――優《やさ》しさの模範《もはん》のような笑顔《えがお》。

「涼月ちゃん、本当に大丈夫《だいじょうぶ》？　僕、脳のフィードバック酔《よ》いの薬なら持ってるけど」

「……何の薬だって？」

「情報過多で現実感がなくなったときの薬。接続官《コーラス》って脳を端末《たんまつ》に直接つなぐでしょ。たまに地球が降ってきたり、宇宙が割れたりするの」

「夕霧も降ってみたーい♪」大はしゃぎ。

「なんか……そっちの方がヤバそうだな」涼月――感心＋同情。「あー、それより――」

「はい、これ」

吹雪――にっこり微笑《ほほえ》んでディスクを差し出す。

「いつも悪ぃな――って、あたしじゃなくて。こら、陽炎、お前が礼を言えっつの」

「ああ、それを頼《たの》んだのは私なんだ」

陽炎――ディスクを受け取る／真顔で。

「君に声をかけるなら、まず涼月を通すべきだと思ってね。面倒なことを頼んでしまって、すまないね」

「ううん。いつも大変なお仕事をしてる涼月ちゃんたちを支援《しえん》することが、転送員としての僕の役目だから」

吹雪――本心から役に立てたことを嬉《うれ》しく思っている、無垢《むく》なる慈愛《じあい》に満ちた姿。

「じゃ……僕、戻《もど》るけど。僕に出来ることがあったら何でも言ってね、涼月ちゃん」

「おう」「じゃーねー」

手を振る涼月+夕霧――名残惜《なごりお》しそうにフロアへ戻る吹雪。

その小さな背へぼそり。「汚《けが》したい」

「……あ？」ぎくっとなる涼月。

「いや、なんでもない」

「つか、なんで、あたしを通すんだ？　てめーで吹雪に頼めっつの」

「私と会話しているときでも、彼はお前の名前ばかり口にするが？」

「だからなんだってんだ？」

眉《まゆ》をひそめる涼月――陽炎はしばし無言で見つめ、相手の肩《かた》をぽんと叩《たた》いた。

「な……なんだよ」

回れ右――エレベーターへ／十二階＝女性隊員の寮《りょう》。

「私は部屋でデータを眺《なが》めている。消えたわけではないから心配するな」

「してねーっつの」

涼月がファックサイン――さっさと自室へ向かう陽炎を、夕霧がじっと見送る。

「別に」


情報――カール・マキシム・フォルメルハウゼン。

資産家／未来党員／弁護士の資格／元オリンピック選手／元ライフル友愛会会員。

支援テロの容疑者／〝克服せよ《ユーバーヴィンデン》〟の指輪。

六年前＝極右的な言動が問題視され、オリンピック出場資格を取り消されたという噂《うわさ》。

六年前＝超《ちょう》保守主義の中絶反対派による医師狙撃《そげき》事件に関《かか》わったという噂。

六年前＝職も栄光も失って都市を去ったという噂。

そして今年。

都市に戻り、複数のグループの非合法活動を支援。

傭兵《ようへい》的な〝射手〟の可能性大。

彼女は、その情報を眺めた。

雑然と散らかった薄暗《うすぐら》い部屋でモニターの灯《あか》りだけをつけて。

がらんとしたビルの屋上を眺めたように。

何か隠《かく》された意図があるのではないかと思いながら。

なぜ自分がそうしなければならないかを考えながら――

記憶《きおく》の扉《とびら》が開かれ、消し去ったはずの何もかもが、甦《よみがえ》るのを止められずにいた。

(彼女は私と出かけるのかな？　それとも母様と一緒《いっしょ》に留守番をしているかい？)

いつ身についたかも分からぬ習慣。

(もちろん彼女は父様と出かけたいわ！)

幼い頃《ころ》から自分のことを彼女と呼ぶ癖《くせ》。

父様はそれに付き合ってくれた。母様はそれを嫌《いや》がって直させようとした。

母様は純血主義で、根っからの貴族だった。

親の資産を受け継《つ》いだ者としての誇《ほこ》りでがちがちで、陽炎という日本語名《キャラクター》を嫌がり、彼女を
ミドルネームでサビーネと呼んだ。

父様は同じ身分だが世界市民主義《コスモポリタニズム》の思想の持ち主だった。

少年のような心と、決して怒鳴《どな》ったりしない穏《おだ》やかな心を保ち、彼女を優しく陽炎と呼んでくれた。

二つの呼び名＝父様と母様――その狭間《はざま》。

彼女は、陽炎であり、サビーネであり、私であり、クルツリンガー家の一人娘《むすめ》であり、そしてあの事件の被害者《ひがいしゃ》だった。

六年前
彼女と私と父とライフルの最初の関係。

父様の趣味《しゅみ》＝貴族の証《あか》し――ライフル友愛会。

ミリオポリスの整地された公園の多くは、かつて貴族の狩猟場《しゅりょうば》だった場所だ。

貴族にとって狩猟を学ぶことは、少年から大人になる証しであり、この豊かな地上を創造された神を知ることであり、また逆に年老いた者をも若返らせる活力の源だった。

そんな狩猟の精神を伝えるライフルの伝統について、父様は少年のように目を輝《かがや》かせて彼女に語ってくれた。友愛会に集《つど》う紳士《しんし》たちも、同じように彼女に接してくれた。

彼女はそんな彼らと森が好きだった。

ライフルの轟《とどろ》きや獲物《えもの》たちの死は怖《こわ》かったけれど、人はその恐《おそ》れを通して多くのものを学ぶのだと教えてくれた。彼らは会員しか入れない友愛会の敷地《しきち》とコテージに彼女を迎《むか》え入れ、まるで童話のお姫様《ひめさま》のように扱《あつか》ってくれた。

言い換《か》えるならこうだ。

彼女はそこでは自由だった。

母様が押しつける学びごとや窮屈《きゅうくつ》な価値観や、厳しいだけの教育から解き放たれる、唯一《ゆいいつ》の場所だったのだ。

そんなわけで彼女は毎月、父様と連れだってライフル愛好家たちの集いに参加し、猟犬と遊んだり父様と一緒に焚《た》き火を囲んだりして楽しんだ。

もちろんその日も、輝かしい一日が始まり、そして父様のライフルに込められた最後の弾薬《だんやく》とともに終わるはずだった。

それは、夕闇《ゆうやみ》が包む森で突如《とつじょ》として起こった悲劇——

単純で救いがたい、世界的に見れば、ごくありふれた事故といえるものだ。

父様が仲間たちとともに、余った弾薬を費《つい》やすべく、森に設置された標的を一通り撃《う》ち終え、ライフルをケースに収めて、愛娘《まなむすめ》にコテージへ戻《もど》ろうと告げたとき。

その悲劇は一続きの連鎖《れんさ》においてまさに命中した。

父様のライフルには撃ち残された最後の一発が込められており／忘れるはずのない安全装置がその日に限ってかけ忘れられ／ちょっとやそっとでは暴発を引き起こさないはずの引き金が何かの拍子《ひょうし》で撃鉄との連結を解除し／それがたまたまライフルをケースに収めようと娘から目を離《はな》した瞬間《しゅんかん》／彼女は父様を迎えに駆《か》け寄ったのだ。

ライフルの轟きは、それがもたらすべきものを彼女にもたらした。

誰《だれ》もが予期せず発射された弾丸は、彼女の左胸から侵入《しんにゅう》し、胸骨を砕《くだ》き、背骨を吹《ふ》き飛ばし、全身の自由をまさに瞬《まばた》きする間もなく奪《うば》い去った。

衝撃《しょうげき》とともに彼女はどことも知れぬ虚無《きょむ》へ叩《たた》き出された。

それから十五日後に再び意識が引き戻されたとき、彼女は、首から上と、右手首から先しか動かせぬ体になっていた。

娘を破壊《はかい》された母様は、嘆《なげ》き／怒《いか》り／呪《のろ》い、その全《すべ》てを父様にぶつけた。

父様は、自分が愛する娘とライフルへの取り返しのつかぬ罪悪の地獄《じごく》に陥《おちい》った。

そして彼女が身体《からだ》の自由を失い、」また精神的なショックから言葉を発さなくなった代わりとでもいうように、父様と母様はとてつもない勢いで争いを始め、馬鹿《ばか》げたことにそれは裁判にまで発展した。

やがて緩慢《かんまん》に進む時間とともにどんな作用が働いたものか、いつしか母様は彼女の人生から消え去り、父様だけが残された。

以後、父様は、奴隷《どれい》か罪人のようにひたすら彼女に尽《つ》くした。

病院にいた期間は比較的《ひかくてき》短く、父様は自宅を改造し、そこに彼女を迎え、設置した。

そうして彼女と私と父とライフルの二つ目の関係が始まった。

市は繰《く》り返し、彼女を機械化して身体の自由を取り戻させることを勧《すす》めたが、父様は、彼女のまだ健康な手足を切除して機械に置《お》き換えることを半狂乱《はんきょうらん》になって拒《こば》んだ。

機械化という言葉が父様を脅《おど》かし、やがて彼女の周囲から人を遠ざけるようになった。

本来なら医師がやるべき検査の多くを自ら行い、彼女のまだ生きている肉体の手入れをし、髪《かみ》や爪《つめ》や、排泄《はいせつ》されたあらゆる汚物《おぶつ》を命の証拠《しょうこ》であるとして喜んで保管した。

父様の執着《しゅうちゃく》が日に日に増長し／意外性を増し／やがて平然と彼女の肉体が排泄したものを食べて「これは私とお前の生命が一つになるよう運命づけられた神様の御《ご》意志だよ」と痩《や》せこけた寂《さび》しい顔でささやく一方──

彼女は彼女なりに新しいものを手に入れていた。

一つはガムを噛《か》むという習慣。

かつて母様が毛嫌《けぎら》いしたそのくちゃくちゃもぐもぐ音を立てる菓子《かし》は、体のごく一部しか動かせぬ彼女にとって、嗜好《しこう》品であり娯楽《ごらく》であり精神を穏《おだ》やかにする祈《いの》りの所作となった。

またさらに父様が備え付けた端末《パソコン》によって、これまた母様が心底から憎悪《ぞうお》し、堕落《だらく》の象徴《しょうちょう》とみなしていたインターネットの情報を自由に閲覧《えつらん》するようになった。

彼女はガムを噛み／膨《ふく》らませ／弾《はじ》かせ／そして、あらゆる知識を何の制限もなく集めることを覚えた。

なかでも強く印象に残ったのは、フロイトやユングなどによる心についての様々な解釈《かいしゃく》で、多くの事例の中に、父様に似たものもあれば、それより遥《はる》かに衝撃的なものもあった。

いつしか彼女は再び父様と言葉を交《か》わすようになり、ときおり父様が口走る「神の声が聞こえる」とか「お前のおしっこには青い光が満ちている」といったことへも、冷静に淡々《たんたん》と反応するようになった。

そうして、ときおり家政婦が顔を見せる以外、父様とともに全く外界の人間と接することのない月日が、それはそれで平穏《へいおん》に過ぎていった。

あの日、いつも通り父様が彼女の肉体を手入れするため、ごそごそと動き、ぎしぎしとベッドが軋《きし》み、うとうとと彼女がうたたねしているところへ、ふいに家政婦が部屋に入ってきて、金切り声を上げるまでは。

驚《おどろ》いて目覚めた彼女は、なぜ家政婦が叫《さけ》んでいるのか分からずにいた。

父様がズボンを脱《ぬ》いでベッドに乗っている姿など既《すで》に見慣れていたし、それが彼女の体に必要な行為《こうい》だと言い含《ふく》められていたからだ。

けれども、それは外界においては法を犯《おか》す重大な行為であり、家政婦は警察を呼びにすっ飛んでいった。

父様は大慌《おおあわ》てで家の鍵《かぎ》を全て閉《と》ざすと、改めて、いつも以上に入念に彼女の手入れを終わらせた。

そして一番上等な服を着ておめかしをすると、長いことどこかにしまったままでいたライフルを取り出し、こう告げた。

「神様が私たちを呼んでいる。行かなければ。もっと早く行くべきだったかもしれない」

けれども彼女は、その肉体を破壊したライフルを見るなり強い恐怖《きょうふ》にとらわれ、こう返していた。

「ううん。彼女には神様の声が聞こえない。まだそうじゃないみたい」

父様は寂しげに微笑《ほほえ》んだ。この期《ご》に及《およ》んで彼女が反対しても、決してそれを否定したりせず受け入れてくれる、どこまでも穏やかで純粋《じゅんすい》で、脆《もろ》い心の持ち主だった。

「神様の声が聞こえたら、すぐに来なさい。父様はずっとお前を待っているよ」

そう言って彼女の額に優《やさ》しくキスした。

「はい《ヤー》、父様《ファーター》」

父は少し離《はな》れたところに立ち、銃口《じゅうこう》をくわえた。

ゆっくりと引き金を引き、そして、ライフルの轟《とどろ》きがもたらすものが、その命にもたらすままにさせた。

彼女はその一部始終を冷静に見届けたつもりでいたが、精神は決してそうではなかった。

警察がドアをこじ開けて入って来たとき、激しいショック症状《しょうじょう》を呈《てい》しており、すぐさま病院へ運ばれた。

そして命を保つための処置を施《ほどこ》されると、今度は別の施設《しせつ》に運ばれた。

なぜなら彼女は、一時的に自分が誰《だれ》なのか分からなくなっていたからだ。

そこにいた期間は比較的短かったが、それなりに学ぶことは多く、なかでもバラバラになりかけた自分を再び一つにするものを得たことは有意義だった。

『∽』

〝相似《そうじ》〟を表すその記号は、彼女が私であることを受け入れられない精神において、彼女と私が似たものであることを示し、自己をつなぎとめる契機《けいき》をもたらした。

すなわち『S∽I』――〝彼女と私は相似である〟という、精神を現実にとどめる楔《くさび》を。

また同じ頃《ころ》、児童福祉《ふくし》法において身体に障害のある児童は、本人の承諾《しょうだく》のもとで機械化されるということを教えられた。

そうしなければ、いずれ肉体が衰弱《すいじゃく》して死に至るだろうということも。

彼女は生存を選び、肉体の機械化を受け入れ、新たな手足を得て労働児童育成コースに放《ほう》り込まれた。

新たに作り替《か》えられた体の訓練施設――通称《つうしょう》〈子供工場《キンダーヴェルク》〉。

集められた多くの機械化児童たち——その中に、新たに得た手足を苦もなく我が物とし、自由に操縦する少女がいた。

彼女はその少女を観察し、手足の使い方を学び取った。

また少女の方でも、彼女を見つけた。

車椅子《くるまいす》に乗ったまま、立てない彼女が、繰《く》り返し手足に書き込む『S∽I』を見て、こう言ったのだ。

「初めまして、彼女と私さん♪」

その一撃《いちげき》で彼女は、少女の超《ちょう》直観的かつ電波的性格に惚《ほ》れ込んだ。もしかして自分は同性愛者なのではと思うくらいの好き好きぶりだった。

やがてその少女こと夕霧が、手足の操縦ぶりを評価されて専門職コース入りが決まると、彼女もそれを追った。

それが、彼女と私と父とライフルの三つ目の関係の始まりとなった。

少女＝夕霧の就職先が、警察であることを知った彼女は、どういう精神の作用によるものか、それをある種の神の声と受け取った。

自分と父様のかつてあった人生を根こそぎ奪《うば》った、ライフルとの対決のときだと。

彼女の一念発起《いちねんほっき》——父様とその仲間が標榜《ひょうぼう》していた合言葉の復活。

〝克服《こくふく》あれ〟

夕霧に遅《おく》れること半年余――手足の操縦を完璧《かんぺき》にマスター。

警察の専門職コースに入り、数年ぶりにライフルに接触《せっしょく》。

その恐怖と苦痛と呪《のろ》いを、噛《か》み／味わい／膨《ふく》らませ／弾《はじ》かせ／自分のものに。

やがて負の記憶《きおく》の中核《ちゅうかく》たる父様の声＝〝克服あれ〟の自然消滅《しょうめつ》。

成長期の急激な精神の発達が、それを忘れ去らせようとしていた。

その矢先。

ライフルだけでなく、なんと父様自身が現れた。

それは正確に言えば、当時の訓練教官であり、ことあるごとに彼女の体に触《ふ》れ／撫《な》で／押しつけ／密着し／嫌《いや》らしいことをささやいてくる男だった。

あっさりと復活した声＝〝克服あれ〟。

彼女はその教官に父様の面影《おもかげ》を見つけ、それを消すことを決めた。

その方法＝あらゆる情報の収集／その中から最適なものを選択《せんたく》。

入念な準備――彼女は自ら教官を誘《さそ》い／身を委《ゆだ》ね／過去に父様が行っていた肉体の手入れを、新たに得た電子的な疑似感覚のもとで再体験＝詳細《しょうさい》に把握《はあく》した。

そしてその一部始終を自ら設置した機材で撮影《さつえい》――余すところなく映し出されたそれを自分

の顔が映らぬよう加工。

教官の家族および上司および児童福祉局に送りつけた。

教官の失職／離縁《りえん》／服役《ふくえき》＝父様のように哀《あわ》れな独りの男となって彼女の人生から消滅。

さらに数ヶ月後——いったん消したはずの声がまたもや復活。

相手はＭＰＢの情報官＝彼女の過去を探《さぐ》り出し／勝手なことを言い／色々と要求——強要。

その情報官にも、父様の面影を見た彼女の情報収集——駆《か》け引き。

二ヶ月余りの関係の末に、情報官の隙《すき》を衝《つ》いて当人の端末《たんまつ》のパスを盗《ぬす》み、データベースへのアクセスコードを入手。

情報官が撮影した猥雑《わいざつ》な二人の画像を彼女の顔や特徴《とくちょう》を消したものを除いて全《すべ》て破棄《はき》。

残りをその情報官にしか送信できぬはずの経路で流し込み、全情報部員およびマスコミに出血大サービス。

児童ポルノ画像が政治家の首さえ一瞬《いっしゅん》で断《た》ち切るご時世——情報官の失職／白眼視／離縁／服役／ワイドショーのネタに。

父様のようにみじめになって檻《おり》の中で首吊《くびつ》り自殺。

その副産物＝情報部へのアクセスコード——彼女は謎《なぞ》めく情報通に。

ただし翌年、解析官《かいせきかん》なる部署が設立され、上層部により規制された情報は閲覧《えつらん》不可に。

それから数ヶ月後。

声が再三にわたって復活。

愕然《がくぜん》となる彼女——相手は狙撃《そげき》部隊の小隊長。

彼女に厳しく接し／深く思いやり／生き抜《ぬ》くすべを教え／娘《むすめ》のように愛情を注ごうとしてくれた男。

その小隊長にも父様の面影＝強く／はっきりと／抗《あらが》いがたいほどに。

声は呪いとなり、彼女を駆り立て、それまでに学んだ全手段を尽《つ》くして相手を誘った。

強固だった相手の心の壁《かべ》を徐々《じょじょ》に崩《くず》し、執念《しゅうねん》深い努力の末、ついに籠絡《ろうらく》させたとき、とてつもない喜びに満たされた。

敢行《かんこう》——徹底《てってい》的な支配。

父様の面影をやどす妻子持ちの小隊長を自分のものにすべく、ありとあらゆる策謀《さくぼう》の限りを尽くそうとし——何のことはなく、それは消滅した。

噂《うわさ》では、小隊長自身が、自分が陥《おちい》った罠《わな》と罪を、上司に告白。

上層部の判断——優秀《ゆうしゅう》な小隊長を評価。

速《すみ》やかなもみ消し＝異動。

小隊長は妻子をつれて、国境警備隊員として、山の遥《はる》か向こうへ去った。

残された彼女は、その肉体をライフルが吹き飛《ふ》ばして以来、初めて、泣いた。

トイレの中だろうが食事中だろうが訓練中だろうがガムを嚙みながらだろうが、めそめそ泣き続け／泣き暮れ／泣き明かし／涙《なみだ》に溺《おぼ》れ続けた。

そしていつしか涙の雨による大いなる作用によって声が消え去り、父様の面影だろうが何だろうがまとめて鼻紙と一緒《いっしょ》にゴミ箱に叩《たた》き込む気になったとき、彼女は真に私との相似《そうじ》を得て、哀れな独りの人間としてこの現実に生きていることに気づいたのだった。


あ、来た、――

予兆を素早《すばや》く察した陽炎は、さっと立ち上がり、薄暗《うすぐら》く雑然とした部屋を器用に足早に進んでトイレに駆け込み／便器に突っ伏《ぷ》し、ぶが――っと盛大《せいだい》に吐《は》いた。

しばらく頭がくらくらして何も考えられず、やがて、あー、久々に全部思い出した、ということを思い出した。

ちらつくイメージ。

昔の体への被弾《ひだん》＝今の体への被弾＝ミハエルの微笑《びしょう》＝父の面影＝〝克服《こくふく》あれ〟――

自分を暴走させる強迫観念《きょうはくかんねん》の特盛りセット。

ふとポケットから何かが落ちたことに気づく。

牌《ブロック》――紅《あか》い文字＝『中』。

逆さまになったそれを、じっと見つめた。

このままだと彼女はあの中隊長を誘惑《ゆうわく》しに走るな、という他人事《ひとごと》のような思考。

トイレの水を流し／便器の蓋《ふた》を閉め／その上に座り込む。

思案――さて、どうしよう。

薄暗い部屋におぼろな光――モニター。

示された標的／過去の因縁《いんねん》。

そして**可能性**――自分が撃《う》たれたときの**疑問**。

結論。

やれやれ、これも神様の声だというなら、従う以外にないのでは？

彼女は／陽炎は、床《ゆか》に落ちた『中』を拾うと、必要な準備を整えるべく、立ち上がって部屋を出ていった。

陸《ろく》

午前五時。

MPB《エムペーベー》本部ビル地下駐車場《ちゅうしゃじょう》——公用車が並ぶ区画。

エレベーターを出ながら荷物を確認《かくにん》。

地図／潜入捜査員《せんにゅうそうさいん》が使う偽《にせ》の運転免許証《めんきょしょう》／隊の公用車のキーと使用許可証／そしてグロックの拳銃《けんじゅう》。

その全《すべ》てを、あの手この手を使って手に入れてしまえるのが陽炎だった。

過去に手に入れたアクセスコードを活用＝任務データのコードの差しかえ。

隊の備品管理官や情報官にしおらしく甘えれば、それだけで〝清純可憐《かれん》な特甲《とっこう》少女である陽炎の極秘《ごくひ》任務〟という怪《あや》しげな大嘘《おおうそ》を信じた男たちが、大てい一肌《ひとはだ》脱《ぬ》いでくれる。

問題はどれだけ早く戻《もど》れるか。

強引《ごういん》にこじ開けた空白は六時間。

それまでに確実に判断し／行動し／結果を導く——

などと考えながら、荷物を入れたリュックを背負い／だぶだぶのトレーナーのポケットに両手を突《つ》っ込み／野球帽《ぼう》をかぶった姿で、ぷーとガムを膨《ふく》らませて車に近づき——硬直《こうちょく》した。

涼月＝くわえ煙草《たばこ》／パーカー姿——大あくび。

「も、くっそ、眠《ね》っみー」

夕霧＝ワンピ姿——敬礼。

「あっ、陽炎さんが来ましたよー。さー、御一緒《ごいっしょ》に。おはよーございまーす♪」

陽炎＝すがめた目——棒立ち。

「……なぜここにいる」

「てめーの様子がおかしいなんてことはフロイトじゃなくたって分かるっつの」

涼月＝眠たげに親指で車を示す。

「〝可能な限りさっさとやれ《アズ・スーン・アズ・ポシブル》〟だ。早く開けて、あたしにもう少し寝《ね》させろ。どこ行くんだか知んねーけど、とっとと終わらせて帰るぞ」

パチン——陽炎は無言でドアのロックを外して運転席へ。

涼月＝助手席——夕霧＝後部座席。

「どうした？　早く出せよ」

「……支援《しえん》を担《にな》う狙撃手《そげき》ほど、その実、支援を必要とする者はない」

陽炎＝キーを差し込む／ひねる／響《ひび》き出すエンジン音。

「狙撃手は単独では常に孤立《こりつ》する傾向《けいこう》にあり、チームを前提にして初めてその職性が十全に成り立つ」

涼月＝うんざり顔／煙草を灰皿へ。

「朝っぱらから教訓復唱か？」

夕霧＝座席の間から顔を突き出して。

「えへへー、違《ちが》いますよー？　陽炎はー、ありがとうって言いたいだけ♪」

「……別に、てめーがおかしいまんまじゃ、小隊長のあたしの責任になるっつの」

ぷいと顔を背《そむ》ける涼月――シートを倒《たお》して両足をダッシュボードの上に乗せ、人差し指を前方へ向ける。

小隊長による〝突撃指示《とつげき》〟。

陽炎は車を出した。

ろくでもない人生を通して手に入れた、大切なものたちを乗せて。


本部ビルを出て三時間。

涼月も夕霧も運転技術は習得しておらず、途中《とちゆう》で食事休憩《きゆうけい》を入れつつ陽炎が全距離《ぜんきより》を走破。

涼月の間抜《まぬ》けな寝息／カーラジオの音楽／夕霧の素敵なハミングを楽しみながら、車を走らせ続けた。

間もなく陽《ひ》が昇《のぼ》り、辺りを明るく染めた。

地図と記憶《きおく》を頼《たよ》りに、豊かな森の小道を進み、やがて一度も道を間違えることなく古びた看板の前で停車。

陽炎が銃を握《にぎ》った手をポケットに突っ込んで外へ／涼月が目を覚ます／夕霧が歌うのをやめて森の中に立った。

古い色あせた看板。

『ライフル友愛会敷地《しきち》』――〈ÛW〉＝〝克服せよ《ユーバーヴィンデン》〟を意味する文字。

錆《さ》び果て倒れた金網《かなあみ》と柵《さく》を踏《ふ》み越《こ》え、もはや六年前と何がどう同じでどう違うのかも分からぬ景色へ入り込む。

記憶が、木立を揺《ゆ》らす風とともに吹《ふ》き抜け、父様や友愛会のメンバー、幼い自分や可愛《かわい》い猟《りょう》犬《けん》たちの声が、どこからかこだまし、消えていった。

すぐにコテージを発見＝廃墟《はいきょ》。

入り口のドアをこじ開けた痕跡《こんせき》――おそらくミハエル中隊長の優秀《ゆうしゅう》な部下たちがここを探《さぐ》り当てて捜査《そうさ》。だが何も見つからず撤収《てっしゅう》。

《お前の目的は幽霊《ゆうれい》に会うことか？》

涼月――念のための無線通信《いぬぶえ》。

《ある種の擬装《ぎそう》だ》

陽炎――さらに森の奥へ。

涼月と夕霧が続く。

三人のひそかな足音に、忘れたはずの父様の声が混じる。

彼は言った。

私たちは初めて獲物《えもの》を撃《う》った場所を聖地のように思っている――と。

言い換《か》えるならこうだ。

それはある種の動物の帰巣《きそう》本能のように行動パターンを限定し、大きなことをしでかそうとするときの心の支えとして機能する。

森の中を三十分ほど進むと、泉とそのそばに建てられた狩猟《しゆりよう》小屋に出くわした。

《おい》

涼月が茂《しげ》みを指さす――一台のジープ＝裏道を行き来するためのもの。

陽炎がうなずく。

同時に体の奥から冷たい何かがにじみ出す。

記憶――恐怖《きようふ》。

心が悲鳴を上げる。

そう。ここから百メートルも離《はな》れていない場所で、彼女を、一発の銃弾《じゆうだん》が――

涼月が、陽炎の肩《かた》を叩《たた》いた。

《突撃はあたしの役目だ。正面から行くぜ》

陽炎は恐怖とその提案を押しのけた。
《それは私の役目だ》
銃を握りしめ、返事も待たずに、身を屈《かが》めて茂みから出た。
涼月がやれやれという顔で右手へ。夕霧が左手へ移動。
三人で小屋を包囲。
夕霧の無線通信。《いっち、にー、のぉ——》
《さん!!》
全員で号令=突入《とつにゅう》。
陽炎が玄関《げんかん》のドアを蹴《け》り開く/涼月が裏口から飛び込む/夕霧が窓ガラスを蹴り砕《くだ》く。
三人同時に屋内に侵入《しんにゅう》——標的を駆《か》り立てる。
玄関《無人》
台所《無人だ》
寝室《しんしつ》《誰《だれ》もいませーん♪》
居間——陽炎が銃を構え/叫《さけ》んだ。
「MPB遊撃小隊〈猋《ケルベルス》〉だ!　動けば即《そく》射殺する!」
裏手から涼月/横の部屋から夕霧——

窓辺で揺り椅子《いす》に座る、初老の男を取り囲む。

「武器はない」

男＝カール・マキシム・フォルメルハウゼンが、枯《か》れ枝のような両手を上げた。

そばにテーブル――酒のボトル＋グラス。

調味料／二つのマグカップ／二つの皿／二組の食器。

壁《かべ》に地図＝ミリオポリス全域――幾《いく》つも印／付箋《ふせん》に細かな数値。

ミハエルに教えられた狙撃《そげき》地点にも印――どんぴしゃ。

涼月と夕霧は、いつでも男に飛びかかれる位置で待機――陽炎の指示待ち。

陽炎が、右手で銃を構えたまま、左手で帽子《ぼうし》を取った。

長い火《ロート・グリューエント》のような赤髪が流れ落ちる。

「逮捕《たいほ》する前に訊《き》きたいことがあります」

「……マキシムおじさん」

男は、ゆっくりと目を見開いた。

「陽炎……ゲオルグのお嬢《フロイライン》さんか。なんと……あの筆舌《ひつぜつ》に尽《つ》くしがたい不幸に見舞《みま》われた娘《むすめ》が、
この私に銃を向けているとは」

「五日前、第十一区《ジンメリング》で狙撃による支援《しえん》テロを行ったのは――」

「私ではない」

男が両手を下げる——指の震《ふる》え＝中毒者の顔＝酒。

「私からライフルの秘儀《ひぎ》を学んだ後継者《こうけいしゃ》がしてのけた仕事だ。いや、幾ら優秀《ゆうしゅう》でも若さを補えるわけではないから、後継者とその道具がしてのけた仕事と言わねばならんな。道具とは、むろんライフルと弾丸で、一部が、そこの棚《たな》にある」

涼月が、棚に並ぶそれを一つ取って放《ほう》る。

陽炎が帽子の山の内側でそれを受け取った。

ケースレスの弾丸——火薬に文字。

『PRINCIP INC.』

プリンチップ株式会社＝支援テロを行う幽霊企業《ダミーきぎょう》。

陽炎が鋭《するど》く男を見る。

「入手方法は？」

「リヒャルト・トラクルと名乗る人物が手配した。顔も知らぬ相手だ。突然、電話をかけてきて、私が望むものを与《あた》えようとぬかしおった。そして実際に送りつけられたものを見て、その言葉の正しさを知ったというわけだ。ミクロン単位で設計され、しかも信じがたいほど軽い。まるでプラスチックか何かで出来ているように。八百メートル先の十セント硬貨《こうか》を撃《う》ち貫く精度を持った、史上最軽量のライフル、〈ディオスクロイ〉だそうだ」

帽子ごと弾丸をテーブルに置いた。

二つのマグカップ――どちらが後継者の使ったものだろうか。

「ライフルと〝射手〟はどこに？」

「一昨日《おととい》の夜、最後の晩餐《ばんさん》を済ませた。もう戻《もど》ってくることはない。私はここに残り、お前たちのような犬を引き寄せる獲物《えもの》の役目を務めたに過ぎん。さあ、逮捕するがいい」

「もう一つ訊きたいことがあります」

「ではその前に、こいつを飲ませてくれんかね？」

酒＋グラス――陽炎がうなずく。

男はグラスに茶色い液体を満たし、ぐいと飲み干した。

深々と吐息《といき》＝墓場の臭《にお》いがした。

「さて……何が訊きたい？」

陽炎は、いかなる予兆も反応も見逃《みのが》さぬよう、相手の挙動をつぶさに観察しながら、その疑問を口にした。

「六年前、この敷地《しきち》で、八歳だった私を撃ったのは、誰ですか？」

涼月と夕霧が驚《おどろ》いたように陽炎を見た。

「お前の父だ……という答えは望んでいないようだが？　何か根拠《こんきょ》があるのかね？」

「父様は決して、安全装置をかけ忘れ、最後の弾丸を残したことに気づかず、銃口《じゅうこう》を人に向ける人ではなかった。ライフル友愛会は父様の事故の後、立て続けに事故や事件に巻き込まれている。そして同時期、ライフル友愛会は、複数の狙撃事件での証言が求められていて、父様も証言台に立つはずの一人だった」

陽炎は言った――一息に／六年という自分の時間はそれだけの速さで過ぎていったのだというように。

男はまたグラスの中身をあおった。

墓石の底から漂《ただよ》うような息と声＝優秀な射手の魂《たましい》と技術が腐敗《ふはい》する臭いが鼻をついた。

「……なんとも奇妙《きみょう》な話だ。何者かが君の父の銃に細工を施《ほどこ》した……たとえば空包か実包か分からんが、何かの拍子《ひょうし》に暴発するような代物《しろもの》を込めさせた。そして君の父と同種の銃、同じ弾丸を用いて、まだ幼い君を狙撃した……と？」

「私でなくても良かったのかもしれない。友愛会が悲惨《ひさん》な事故を起こすことが目的だったのかも――。事実、当時の狙撃事件は証人を一人も立てられず立件さえ出来なかった。何があったんですか？　なぜあなたはオリンピック出場資格を取り消され、都市を出なければならず、そして戻って来たんです？」

返ってきたのは、ライフルの轟《とどろ》きのごとき哄笑《こうしょう》だった。

男は大声で笑い、酒を零《こぼ》して手を濡《ぬ》らし、そのまま息絶えるのではないかと思うほどの勢いで咳《せ》き込みながら笑い続けた。

「**陰謀**が欲しいかね、お嬢さん《フロイライン》？」

男が言った――ごろごろと啖《たん》が絡《から》んだような声。

「お前は私と同じだ。こんなはずではなかったという人生のツケを、誰《だれ》かに支払《しはら》わせてやりたくなり、わざわざ三人だけで来たのだ。きっと本部の誰も、お前の行動を知ってはおらんのだろうな」

カチリ／撃鉄《げきてつ》を上げる音が相手を遮《さえぎ》る。

陽炎の冷ややかな声。

「答えて下さい」

「あの、こけおどしの大会に出られなくなった理由か？　いいだろう。ゲオルグの名に免《めん》じて特別に教えてやる。それはな、この私がうっかり、十七歳の少女に金を払《はら》って大いに楽しみ、それが仇《あだ》となったからだ。まさか相手が市から売春許可も得ておらず、なおかつ未成年で、私との関係で妊娠《にんしん》したなどと、なんで分かる？　まさかそんな理由で弁護士や未来党員としての資格まで失い、弁護料と和解金だけであらかた財産を使うことになり、後は何もかもが崩《くず》れ果てると、どうすれば予想できたと思う？　そんなわけで当時の事件など私にはどうでも良かった。何せ自分が犯罪者になる瀬戸際《せとぎわ》だったのだから」

陽炎＝無表情。

涼月＝あんぐり。

夕霧＝きょとん。

「なぜ戻ってきたか？　それはな、きっとお前と同じように、ライフルしかなくなったからだ。また、このろくでもない人生で最も幸運だったことに、後継者《こうけいしゃ》にも恵《めぐ》まれた」

「その人物は、あなたの事情を御存《ごぞん》じで？」

「いいや。もちろん後継者には、私がいかに不当におとしめられたかを沢山《たくさん》聞かせてやった。全《すべ》て陰謀であり、私にはかけらも非はないと。間違《まちが》っているのはこの都市で今も栄光に浴し、名誉《めいよ》も財産も持ち続けているやつらで、そうした連中は全く生きるに値《あたい》しないのだと。これぞ教育だ。若い世代に、歴史とはこれこれこうだと教えるだけで、それが事実であろうとなかろうと、それを学んだものたちによって新たに記憶《きおく》されるのだから。これほど、人生で失われたものを取り戻《もど》せる確かな方法が、他《ほか》にあるかね？」

ボキボキ拳《こぶし》を鳴らす涼月。

「歴史ってな、てめーの汚《きた》ねー塗《ぬ》り絵か？」

陽炎——不快／憤激《ふんげき》／憎悪《ぞうお》が凝縮《ぎょうしゅく》／凍《い》てついた悽愴《せいそう》の表情。

「私の質問に答えて下さい」

「どんな陰謀や歴史が好みかね？」

「事実だけを」

「良いだろう。生き地獄《じごく》の末に死んだ哀《あわ》れなゲオルグに免じて、私が知る限りの事実を教えてやる。ただしその代わりに、私をここから逃《に》がすという条件つきならばだ」

涼月＝怒髪《どはつ》。

「このホラ吹《ふ》きじじい！　勝手なことばっかぬかしてんじゃねえ！」

カチン——撃鉄を戻し、陽炎がゆっくりと銃口を下げた。

「良いでしょう」

涼月＝呆《あき》れ返って溜息《ためいき》。

夕霧＝じっと男を注視。

「お前を撃《う》ったのは——」

ボトルとグラスをテーブルに置いた瞬間《しゅんかん》、震《ふる》えていた男の手が嘘《うそ》のように素早《すばや》く動いた。

テーブルの裏＝固定されたホルスター＝リボルバーの拳銃《けんじゅう》。

そのグリップをつかみ、恐《おそ》るべき滑《なめ》らかさで抜《ぬ》き／構え／銃口を陽炎に向け／怖《おそ》ろしく確実な動作で、引き金を絞《しぼ》った。

陽炎が、それに勝《まさ》るとも劣《おと》らぬ速さと確実さで、銃を構え直し、引き金を引くよりも、ほんの一瞬だけ早く――

恐ろしく精密な狙撃によって飛来した銃弾《じゅうだん》が、男の手から銃を弾《はじ》き飛ばした。

すかさず涼月が男の腹へ左フック／夕霧の足が顔面を一蹴《いっしゅう》。

椅子《いす》ごとふっとんで壁《かべ》に叩《たた》きつけられ、跳《は》ね返って床《ゆか》に転がった男に、陽炎が訊《き》いた。

「私を撃ったのは？」

男は咳き込み／鼻血を噴《ふ》き出し／大声で笑った。

「ゲオルグ・ヘンリケ・フォン・クルツリンガーという名の哀れなお前の父親だ」

振《ふ》り下ろされる銃のグリップ――男の昏倒《こんとう》。

にわかに大勢の迷彩《めいさい》服姿の男女が雪崩《なだ》れ込んできて、男に銃を向けた。

全員の肩《かた》に紋章《もんしょう》＝MPB。

涼月の困惑《こんわく》。「どうなってんだ？」

陽炎は窓辺へ――窓に弾痕《だんこん》。

泉の向こうで木の枝が揺《ゆ》れ、大柄《おおがら》な人影《ひとかげ》が降りてきた。

ライフルを抱《かか》え、ご丁寧《ていねい》に顔にも迷彩ペイントを塗りたくった――ミハエル中隊長。

陽炎は銃にしっかり安全装置をかけてポケットに入れた。

帽子《ぼうし》から弾丸を落とし、髪《かみ》は垂らしたまま、それをかぶって玄関《げんかん》から外に出て、やって来るミハエルをじっと見つめた。

涼月と夕霧も遅《おく》れて外に出て来て、同じように目を向けた。

「援護《えんご》は必要なかったか？」

ミハエル＝特に何の表情も浮《う》かべず。

「私を利用したんですか？」

「彼女なら何か知ってるかもしれんと副長が言った。俺もそう思った。それだけだ」

陽炎の直感――彼女という言葉の響《ひび》き。

この人は知っていた。

最初から――彼女と私を／弾丸の印の意味を／自分の過去を／どんな目に遭《あ》い、どんなことをしたかも。

何かが許せなかった。

よせばいいのに、それを暴《あば》きにかかるのを止められなかった。

「私について詳《くわ》しいんですね」

たっぷり険しさをふくませて言った。

「それほど詳しくはない」

ごまかしのない声——真っ直《す》ぐな響き。

「ただ……以前、MPBから国境警備隊へ移った元狙撃《そげき》小隊の小隊長だが、あれは俺が軍にいた頃《ころ》の元部下でな。やつが異動になった理由を、本人の口から聞いたってだけだ」

、、、
ズガーン——という衝撃《しょうげき》が、いきなり来た。

心の中のとんでもなく脆《もろ》い何かが、木《こ》っ端微塵《ぱみじん》になって吹っ飛んだ感じがした。

「俺はやっと入れ違《ちが》いで入隊したわけだが、やつによれば、MPBにはライフルに入れ込む危なっかしい子がいて、そいつには十分気をつけろって話だった」

がたがた揺れるMPBのジープ——その荷台。

涼月がぶんむくれ、夕霧が踊《おど》り、陽炎がうずくまっている。

運転してきた車／免許《めんきょ》／キー／銃は、全《すべ》て使用許可を取り消され、ミハエルの部下に持って行かれた。

「やられっぱなしかよ」

涼月の尖《とが》った声。

「……んあ？」

陽炎＝どろんとした目。

「正気に戻《もど》れ、タコ。肝心《かんじん》な所を中隊に持ってかれやがって。こうなりゃ、まだ捕《つか》まってねえ後継者《こうけいしゃ》とかいうやつを――」

「みなさん、お手柄ですよーっ♪」

「お手柄じゃねえっつの！　利用されたんだ、あたしたちは！」

ああ、そうかあ。

ぼんやり痺《しび》れた頭で青空を見上げた。

そうだね。彼女も沢山《たくさん》の男を利用したし／してるし／これからもするだろうからね。

なんかもう嫌《いや》だね――

などと思いながらトレーナーの胸元《むなもと》に手を突《つ》っ込む。

紐《ひも》を足して首から吊《つる》した牌《ブロック》――紅《あか》い文字＝『中』。

小さな四角いプラスチック製の牌を握《にぎ》り、ゆらりと荷台の上に立ち、大きく振《ふ》りかぶって、投げた。

それは青空という名の虚無《きょむ》へ向かって弧《こ》を描《えが》き、草むらに落ちて見えなくなった。

漆《しち》

〝射手〟は、じっとそのときを待っていた。

祖父であり師である男が教えたように。

いつどこでどんな行動に出るべきか何百回となくイメージしながらも、そんなことを考えているとはおくびにも出さず、大都市の片隅《かたすみ》で、ひっそりと身を潜《ひそ》め続けた。

それは意志の力であり、狙撃手としての才能であるとともに、今や〝射手〟自身の欲望ともなっていた。

〝射手〟にとって、教えや、それを教えた人物といったものは、もう何の意味もなかった。

その人物が、たとえ祖父であり師である男でも、もはや何の関係もないのだ。

彼が警察の追跡《ついせき》を引き寄せ、〝射手の〟代わりに逮捕《たいほ》されたかもしれないということも、とっくに忘れ去っていた。

〝射手〟は自分が何者であるかを知った。

この都市に来て、生まれて初めて知ったのだ。

自分たちと同じ存在——すなわち犬でも猫《ねこ》でも鳥も鹿《しか》でもなく、人間を撃《う》ったことで。

それは純粋《じゅんすい》な〝人間狩人《メンシエンイエーガー》〟――ライフルと一体となり、標的を仕留める快感を追求する存在だ。

心に抱《いだ》くのは政治理念でも、親族の雪辱《せつじょく》でも、都市の歴史でもない。

ああ、撃ちたい。早く撃ちたい。

沢山、沢山、沢山、撃ちたい、という無垢《むく》な欲求――

ただそれだけだった。

ミリオポリス第二十一区《フロリズドルフ》――ウィーン州知事の演説会場。

周辺道路を、だらだら周回／警戒《けいかい》。

反テロリズムをアピールする治安機構のパレード。

MPB《エムペーベー》の装甲《そうこう》パトカー／小型四輪駆動車《くどうしゃ》／警察騎馬《きば》隊。

一般応募《いっぱんおうぼ》によるチアガール／鼓笛隊《こてきたい》／宗教関係者による祈《いの》りの列。

歩道には一般市民／観光客／記者／テレビカメラの群――

馬鹿《ばか》馬鹿しいほどの大騒《おおさわ》ぎの中、陽炎はぼんやりガムを噛《か》みながら、馬に揺《ゆ》られていた。

乗馬の経験があるのは陽炎だけ。

涼月は五十メートル先の装甲車の上／夕霧は二十メートルほど後方で、チアリーダーたちと一緒《いっしょ》に歌って踊って大はしゃぎ。

ああ、部屋に閉じこもってベッドの中で丸くなってたいなあ＝いつも以上にアドレナリン不足の気怠《けだる》い思考。

というか事実そうしていたのだが、涼月がドア前の棚《たな》や机によるバリケードを突破《とっぱ》／ベッドから引きずり出され／リターンマッチなる不毛な観念を押しつけられたのだ。

しかし陽炎が最後まで狙撃《そげき》隊に編制されることを拒《こば》んだことから、結局、いつもの任務――〝可憐《かれん》な少女たちが部隊の正当性と平和をアピール〟という馬鹿げた広告塔《こうこくとう》として、三人揃《そろ》って配置されていた。

《てめー……お陰《かげ》で、あたしまで訳の分かんねえ格好しなきゃいけねーんだぞ。分かってんのか、このタコ》

涼月――頭の上に大きなリボン／ひらひらスカート／ガラスっぽい靴《くつ》。

装甲車に乗ったシンデレラ――超弩級《ちょうどきゅう》のミスマッチ。

《……確かに、どこの国の平和を訴《うった》えているのか見当がつかないな》

陽炎――純白のドレス＋ティアラ／胸に紅《あか》いリンゴの飾《かざ》り／周囲に七人の騎馬隊員。

白馬に乗った白雪姫《しらゆきひめ》。

《うふふー♪　不思議の国の平和ですよー？》

「夕霧──前掛《まえか》けつきドレス／三つ編み／ポップなタイツ。
周囲には懐中《かいちゅう》時計を持ったバニーガールやトランプの模様入り水着姿の女性たち。
バトンを手に踊《おど》る不思議の国のアリス──および同国の住人たち。
《こんなんじゃ絶好の標的《まと》だっつの。州知事ってのはなに考えてんだ？》
涼月──チャレンジ精神を振り絞《しぼ》った笑顔《えがお》で手を振る。
《毎年恒例《こうれい》の演説を中止すれば、知事の支持率にも影響《えいきょう》が出るからな》
陽炎──ぬぼーっとしつつも条件反射的な情報提示。
《それに大きな声では言えないが、狙撃戦を示した例の〈憲法擁護テロ対策局《BVT》〉局長は未来党で、州知事は社会党だ。州知事がテロで死んだところで、局長が政治的に痛手を受けることは、あまりない》
《んだよ。全部MPBの責任ってか》
確かにそうだと陽炎は思った。
BVT局長は選《え》りすぐりの狙撃手を集めながらも、指揮をMPBに丸投げした。
テロ阻止《そし》に成功すればBVT局長の手柄《てがら》。失敗すればMPBは大隊長か副長か中隊長がクビにされ、そこへBVTの人間が送り込まれて穴を埋《う》める。
BVTの権限拡大工作──ミハエル中隊長も逃《に》げ場がないんだな。

でも、あの人だったら望むところだって言いそう。

い、い、あの笑みを浮《う》かべて――リアルに空想。なんか胸の奥の方がしくしく痛み出した。

ああ、忘れろ忘れろ、と自分に命じた拍子《ひようし》に、ついいつもの癖《くせ》で、ぷーとガムを膨《ふく》らませてしまい、すぐそばの女性騎馬隊員に見咎《みとが》められた。

「ちょっと。ダメよ、ガムなんか」

きりっとした感じの女。

叱《しか》ってるくせに声はどこか優《やさ》しくて／七人の小人の衣裳《いしよう》なんか着てるくせに堂々として／年上の色気をにじませて／凜《りん》とした美人で／ミハエル中隊長が恋人《こいびと》に選ぶならこういう人かもと思わせて――

思考中断――冷淡《れいたん》に返す。

「不注意でした。噛むだけなら良いと許可を得ていますが？」

女＝くすっと苦笑《くしよう》。

「その前にもっと微笑《ほほえ》むべきね。白雪姫なのに。魔女《まじよ》みたいよ？」

むかっ――ときたが黙殺《もくさつ》。

すると何を思ったか、女が手の平を差し伸《の》べてきた。

「ここに出しなさい」

ややきつめの口調――優しい微笑《びしょう》。

〝なんだこの女〟

自分から進んで手を汚《よご》してあげるから、お前も言うことを聞けというお仕着せがましい態度に彼女が猛《たけ》った。

断固抵抗《ていこう》／相手の目を見つめ返しながら、ごくりと喉《のど》を鳴らしてガムを呑《の》んだ。

「あらあら」

女が目を丸くする――陽炎はちょっぴり勝利感を味わい／ぷいと前を向き、そしてそもそもガムを呑むという行為《こうい》を誰《だれ》に教えられたか思い出してガックリ来た。

ああ、もう、忘れろって――

ドーン、という腹に響《ひび》く音。

にわかに前方から押し寄せてくる悲鳴――パニックの波。

緊急《きんきゅう》通信＝副長。

《自爆《じばく》テロを仕掛けてきたバイクを、装甲車《そうこうしゃ》で囲んで爆発させた。被害《ひがい》は軽微。各員、新たな襲撃《しゅうげき》に備えつつ市民を誘導《ゆうどう》。中隊は州知事の避難《ひなん》を――》

騎馬《きば》隊員たちが素早《すばや》く市民を避難誘導する一方、陽炎は自分の馬を宥《なだ》めるだけで、その場にぽつねんと立ちつくしていた。

動こうと思っても、馬のあぶみにかけた両足が硬直《こうちょく》したように動かない。

やる気——ゼロ。

あ、なんかどうでもいいかも。

そこへ襲撃情報。

五百メートルほど離《はな》れた道＝バンに乗った複数の武装犯が銃撃《じゅうげき》。

明らかに、州知事どころか演説会場が見える場所にも辿《たど》り着けそうにない、無謀《むぼう》な仕掛け。

さらに二ヶ所で武装犯が出現。

どれもきわめつきに無駄《むだ》で、馬鹿《ばか》くさくて、ただひたすら弾丸《だんがん》がもたらすものを、もたらすままにさせるだけの、まるで父様の死みたいに——

《なにやってんだ陽炎!!》

涼月の憤怒《ふんぬ》。

夕霧もとっくに機甲化して現場に直行している。

分かってる。本当は知ってる。

こうして突《つ》っ立っている自分こそ、きわめつきに無駄で、馬鹿で——

《〝射手〟だ!!》

演説会場からの通信——多分、中隊の誰か。あの人が指揮してる部隊。

ターン、ターン、という音が、雷鳴《らいめい》のように青空に響く。

狙撃《そげき》合戦。

自分がここで馬鹿面《づら》をさらしている間も、命がけの仕事に取り組んでいる者達がいる。

でもだからと言って、私は――

《ミハエル中隊長!!》

叫《さけ》び――悲憤《ひふん》に満ちた声。

《ミハエル中隊長が撃《う》たれた!!》

青空という名の虚無《きよむ》の彼方《かなた》で響くライフルの雷鳴が、いきなり稲妻《いなずま》と化して彼女を直撃したように、今度こそ本当に彼女は硬直した。

まるで人工と生身が半々の脊髄《せきずい》が急に凍《こお》りついて、胸から呼吸を奪《うば》い、心臓から鼓動《こどう》を消し、体から熱を吸い取るようだった。

嘘《うそ》――と心のどこかが声を上げた。

そんなはずない、そんなはず――

《陽炎!!》

びくんと全身が反応した。

男の声だった。確かにそうだった。あの人が、苦痛に耐《た》え、気力を振《ふ》り絞《しぼ》って、通信用マイクに向かって、彼女の名前を呼んでいた。

《やつを死線《キル・ゾーン》に叩《たた》き込め、陽炎!!》

カチッ／バシュッ／ズーン。

一連の衝撃《しょうげき》／一連の作用が、凍りついて眠《ねむ》ったままになってしまいそうだった彼女の胸に／心臓に／体に、驚《おどろ》くほど激しい熱をもたらした。

「行け！」

口が勝手に叫び、手綱《たづな》で鞭《むち》をくれ、馬の腹を蹴《け》った。

いななき――蹄《ひづめ》がアスファルトを蹴る。

白雪姫《しらゆきひめ》の勇壮《ゆうそう》な疾駆《しっく》――市民が慌《あわ》てて退避。

脳の視覚野に送り込まれる情報をもとに経路を選択《せんたく》――人馬一体となって誘導用の柵《さく》を高らかに跳《と》び越《こ》える。

着地＝そのまま三百メートルほど疾走《しっそう》――文字通り拍車《はくしゃ》をかけまくった。

目的地＝高層ホテル――その玄関《げんかん》口。

タクシー乗り場へ馬が駆《か》け込む前に、さっと鞍《くら》の上に両足を乗せた。

曲芸師顔負けの軽業《かるわざ》――跳躍《ちょうやく》。

馬の到来《とうらい》で騒《さわ》ぎになる玄関口――その上の屋根に着地した。

目の前に本当の目的地。

三つ並んだガラス張りのエレベーター。

ちょうど下に降りてきた無人の箱に向かって跳んだ。

「転送を開封《かいふう》」

手が・脚《あし》が、エメラルド色の輝《かがや》きとともに一瞬《いっしゅん》で変貌《へんぼう》。

右腕《みぎうで》と一体化した巨大《きょだい》なライフル／シャープなフォルムの真紅《しんく》の特甲姿——肩《かた》から突入《とつにゅう》。

強化ガラスを粉砕《ふんさい》し、エレベーター内に飛び込んだ。

左手でパネルを引き裂《さ》き、VIP専用のキーロックを引っ張り出す。

同時に、緊急事態における施設《しせつ》使用を無線で通達。

MPB通信員の素早《すばや》い対応——エレベーターの独占《どくせん》許可／ホテルへの通達／治安機構への報告が義務づけられているキーロックの暗証番号を陽炎に伝達。

すぐさま入力——最上階以外は停《と》まらないよう設定。

七秒でエレベーターが最上階に到達《とうたつ》した。

万一VIPがエレベーターに乗り込んで来ないようにするため、操作盤《ばん》に左拳《ひだりこぶし》を叩き込んで破壊《はかい》——開閉不可に。

振り返りざま青空に向かって一発お見舞《みま》いした。

衝撃。
周囲を覆《おお》うガラスが木っ端微塵《こっぱみじん》に砕《くだ》け散った。
猛烈《もうれつ》な風／長い髪《かみ》が激しく煽《あお》られる——無線通信《いぬぶえ》。
《遅《おく》れてすまん》
《ふざけんな馬鹿《ばか》。お陰《かげ》でこっちは亀《かめ》みたいに縮こまってんだ》
《おかえりなさーい、陽炎さん。夕霧は大きな道路で活躍中《かつやく》です。州知事さんは地面の下の道を通って帰っちゃいましたよ？》
宙を走る幾《いく》つもの光線——複数の地点に囮《おとり》の群＝数を増した照準器《サイト》による攪乱《かくらん》。
各員の位置を確認《かくにん》。
涼月がいる会場一帯で狙撃戦＝膠着《こうちゃく》。
物陰に隠《かく》れたまま動けぬＭＰＢ隊員たち／狙撃手たち。
州知事はもういない——だが戦闘《せんとう》自体が目的となった常軌《じょうき》を逸《いっ》した敵＝その位置を誰《だれ》もつかめず。
《おい、陽炎。今から、あたしが行くから、あのクソ野郎《やろう》をやっつけろ》
《意味不明だ。説明してくれ》
《あたしが、ここから向こう側のビルまで走りゃ、やつが撃《う》ってくるだろ。そこを——》

《標的《まと》になる気か？　お前の体は恐怖《きょうふ》を感じるホルモンを分泌《ぶんぴ》しないのか？》
《知るか。無理なら無理って言え》
《無茶だが無理ではない》
《じゃあ、やれ。命令だ。準備は？》
《いつでも。夕霧、合図は出せるかい？》
《はーい♪　さー、行きますよー？　二人とも良いですかー？　いーち、にーの──》
《さん!!》
全員の号令──会場から涼月が飛び出した。
疾走──全チャンネル開放設定の雄叫《おたけ》び。
《出て来て勝負しやがれ!!　卑怯者《ひきょうもの》のクソったれ野郎《やろう》ぉ────っ!!》
普通《ふつう》、あそこは、助けて神様と叫《さけ》ぶところでは？
という思案も一瞬で消えた。
陽炎は膝立《ひざだ》ちの姿勢で、ただ鼓動《こどう》を鎮静《ちんせい》させ／規則正しいリズムに身を委《ゆだ》ね／敵の位置把握《はあく》という途方《とほう》もない仕事に精神を集中させた。
おそらく太陽を背にしているであろうという予想から、各探査装置の範囲《はんい》を絞《しぼ》り、より精密な情報を求めたとき。

ターン、という最初の轟《とどろ》きがこだました。

銃声《じゅうせい》が銃弾《じゅうだん》より早く到達することはあり得ず、涼月が今まさにジグザグに疾走していることから、初弾で小隊長殉死《じゅんし》という結果は免《まぬか》れたことは分かっていた。

だがしかし、銃声がビルの狭間《はざま》を複雑に反響《はんきょう》することから音響探査は役に立たず、敵の弾道を知らせてくれるはずの各種探査機能も中途半端《はんぱ》な数値しか出してこない。

ということは既《すで》に、通信班の車両に設置された探査装置の一つか二つが、弾丸が撃ち込まれて破壊されたに違《ちが》いなかった。

こうなると視認による探査が確実だが、ビルの壁面《へきめん》が人の気も知らずに太陽光を激しく反射させ、スコープを覗《のぞ》く方の目も、そうでない方の目も、大いに眩《くら》ませてくれる。

これは困った。

無茶が無理の領域に限りなく近づいたとき、走り続ける涼月のすぐそばで土煙《つちけむり》が上がり、ターン、ターン、と銃声が連続して轟いた。

それで、中途半端だった弾道探査に根拠《こんきょ》が生じ、音響探査も銃声の乱反射を計算し、両者が一致《いっち》する範囲をあらわにした。

おお、素晴らしい、という気持ちと、相手がわざわざ自分の位置を教えるような馬鹿な撃ち方をしたことへの疑問が起こった。

ムキになった？

まさか。優《すぐ》れた〝射手〟がそんな精神の持ち主だと？

それとも絶対に位置を読まれない自信がある？

そのときふと、何かに思い当たった。

若さ／史上最軽量のライフル／読めない**位置**。

突然《とつぜん》、彼女は、何かが一つの推測と化すのを感じた。

咄嗟《とっき》にスコープを戻《もど》した。

そして、素早《すばや》く精査し直した結果、ある場所に**可能性**という、目に見えない印がつけられているのを悟《さと》った。

暗闇《くらやみ》──ビルの外観に変化をつけるための、巨大《きょだい》な構造に生じた僅《わず》かな隙間《すきま》。

上下に太陽光を反射する壁面。

まるで輝《かがや》きを盾《たて》にするようにして、底知れぬ闇がそこに結晶《けっしょう》し、息づいているようだ。

さらにその輪郭《りんかく》を精密に精確に精査した直後、細い何かが突《つ》き出され、ちらっと動いた。

いた──この上ないほど強烈《きょうれつ》な確信。

その興奮や動悸《どうき》で狙撃《そげき》を妨《さまた》げられることもなく、さらに精査＝計測。

一秒未満で計測結果が出た。

にわかに異議が発生。

ちょっと待て。幾らなんでもこんな狭い場所に入れるものか。それにこれは、なんという遠距離狙撃だ。

思わず確信を引っ込めたくなったとき、涼月の声が脳裏《のうり》で爆《は》ぜた。

《くそっ、やられた！》

人をぞっとさせる、はた迷惑《めいわく》な声。

〈仲間《コレーグ》に打撃《シュラーク》が与えられた《エアライデン》〉ことを示すＫＳＥの文字が脳の視覚野で明滅《めいめつ》。

地上探査による情報——涼月の右足首に弾丸が命中——転倒《てんとう》。

おそらく狙《ねら》ったものではない。

全くもって不運な直撃。

馬鹿《ばか》、死ぬぞ。

倒《たお》れた涼月が地面を転がって起き上がるまでの、瞬《まばた》きをする間もないほどの時間の中——

彼女は、引っ込めそうになった確信を引きずり出し、深く見通した。

もし自分が狙いを外したり、敵が別の場所にいたりした場合、転倒した涼月は起き上がろうとした瞬間《しゅんかん》の静止に等しい状態を狙われ、間違いなく弾丸を叩《たた》き込まれるだろう——

という切迫《せっぱく》した気持ちは、まさしく彼女の心の奥の、六千万光年ほど彼方《かなた》にあった。

彼女はただ、自分が見通したものを抱《だ》いて無我《むが》の境地にいた。

虚無《きょむ》が支配する世界。

そこでは、もしとかよもやとかいった思念は微塵《みじん》も存在せず、引き金は引き金が、弾丸は弾丸がもたらすものを、ただもたらすべく作動するだけだった。

そして気づけば、撃《う》っていた。

無心において放たれていた弾丸が、自分でもこれはちょっと遠すぎるんじゃないの、と思える軌道《きどう》に従って、到達《とうたつ》すべき一点へ到達していた。

彼女はスコープ越《ご》しにそれを見た。

光の狭間に開いた、闇の入り口。

おそらく清掃《せいそう》用のゴンドラで運ばれ、そこにうずくまっていた小さな〝射手〟——その体から、紅《あか》い霧《きり》が生じ、左手が命を失って、だらんと垂れるのを。

ああ、やっぱり。

幼い小さな手。

どう見ても自分より年下の、小柄《こがら》な子供の手。

都市を相手に回して壮絶《そうぜつ》な狙撃戦を繰《く》り広げた〝射手〟の正体に、何だか痛烈《つうれつ》に裏切られたような、ひどく嫌《いや》な気分に襲《おそ》われていた。

けだるい気分とともに立ち上がろうとしたとき。

突然、疑問を思い出していた。

幾つかのイメージ。

病院での支援《しえん》テロ＝異なる角度から飛来した弾丸《だんがん》。

二つのマグカップ。

ライフルの名＝〈神の息子たち《ディオスクロイ》〉。

それらが脳裏を去来し、ぞっとなって身を伏《ふ》せた途端《とたん》。

衝撃《しょうげき》がきた。

左腕《ひだりうで》――一撃で上腕《じょうわん》をもぎとられた。

近距離《きんきより》／倒れかけたところへ第二弾――だが伏せようとしていたことが幸いし、エレベーター外の鉄枠《てつわく》が防いでくれた。

もう一つの疑問――その答え。

〝射手〟はやつではない。

やつらだったのだ。

壁《かべ》に背をぶつけ、横へ這《は》ったところへ衝撃＝被弾《ひだん》＝右の腿《もも》を抉《えぐ》られた。

うんざりすることに、新たな事実がまだあった。

この、もう一人の〝射手〟には声がないのだ。

消音器――銃声《じゅうせい》を出す方の陰《かげ》に隠れ、沈黙《ちんもく》のうちに攪乱《かくらん》をもたらす存在。

だが侵入《しんにゅう》角《かく》が限られた箱の中という環境《かんきょう》が幸いし、大まかな敵の位置が読めた。

それはいいとして、ドアを開閉不可にしたことが災《わざわ》いし、次の一撃は確実に体の真ん中に近い場所に食うだろうということが分かった。

咄嗟《とっさ》に、これが神様の声だろうかと思った。

父様が待っていると告げた場所へ赴《おもむ》くための。

それが聞こえたらすぐに来なさいと父様は言った。神様が私たちを呼んでいると。

だが彼女は答えを知っていた。

それが父様と彼女を永遠に引き裂《さ》くことも分かっていた。

「私には聞こえないわ」

実際に口に出したかは分からない。

ただはっきりとその声が聞こえ、結局はそれが自分の真実なのだと悟《さと》ったとき、彼女は宙にいた。

四撃目が来るまでの僅《わず》かな時間において、唯一《ゆいいつ》外へ開かれた出口へと、全力を振《ふ》り絞《しぼ》って跳《と》んだのだ。

四十二階建ての高層ホテルの最上階から、虚無に満ちた青空への躊躇《ちゅうちょ》なきダイブ。

いまだかつて経験したことのない騒乱《そうらん》。

風が轟音《ごうおん》となって襲いかかり／自由落下に伴《ともな》う度肝《どぎも》を抜《ぬ》かれるほどの恐怖《きょうふ》に呑《の》まれ／血流が一挙に脳へ向かうせいで視界が赤くなり／逆流する滝《たき》のような風圧に吹《ふ》き上げられる中――

彼女はその機械化された手足を最大限に活用した。

そして完璧《かんぺき》な位置／完璧な姿勢／完璧な視野を確保したとき、完璧なライフルがその身に備わっていることが、どんな心境をもたらすかを、初めて実感していた。

〝克服《こくふく》あれ〟

この世界を創造された神の意志において。

彼女と私と父とライフルの関係が完結し、昇華《しょうか》され、そして高貴と呼ぶにふさわしい優美で厳格で苛烈《かれつ》な、尊大にして深い信仰《しんこう》と慈愛《じあい》に満ちた自分がそこにいた。

〝はい《ヤー》、父様《ファーター》〟

いったい何に／誰《だれ》に対して答えたのかも分からぬささやきとともに、彼女は／陽炎は／私は、優《やさ》しく引き金を絞り――撃っていた。

訪《おとず》れたのはスコープ越《ご》しの真紅《しんく》の死線《キル・ゾーン》。

あるいは確かな手応《てごた》えがもたらした刹那《せつな》の幻《まぼろし》。

三百メートルほど離《はな》れたビルの壁面《へきめん》。

その僅かな隙間《すきま》に潜《ひそ》んだ、もう一人の子供の小さな頭に弾丸が命中し、その顔さえ確かめる間もなく、首から上が粉々に吹き飛ぶ光景だった。

それを見届けるや否《いな》や、全身が脱力《だつりょく》した。

めくるめく落下の中、深い悲しみとともに、もう青いのか紅《あか》いのかも分からない虚無《きょむ》に呑み込まれるのを感じた。

（一緒《いっしょ》に狂《くる》ってあげられなくてごめんなさい）

そんな哀悼《あいとう》と訣別《けつべつ》が、彼女と父様をどこか遠くへ消し去り、ただ私だけになったとき。

白銀の輝《かがや》きが、ホテルの窓ガラスをぶち破って飛び出し、陽炎の体を宙で抱《だ》きとめた。

その指先から伸《の》びるワイヤー×10が、窓枠に絡《から》みつき、しなりながら弧《こ》を描《えが》き、衝撃で何本か千切れ飛びながらも、雄大《ゆうだい》な振り子運動において落下の衝撃を分散。

するするとワイヤーが伸ばされ、ロータリーの屋根に、すとんと二人して着地していた。

歌うような声。

「とっても頑張《がんば》りましたよ陽炎さんは！　さー、御一緒《ごいっしょ》にっ――ただいまー♪」

陽炎は自分が目を閉じていることに気づき、ゆっくりと目蓋《まぶた》を開いた。

後から後から涙《なみだ》が流れた。

目の前にいる夕霧に助けられたのだと知り、もう何だかたまらなくなって好き好き大好きな気持ちを込めて抱きしめていた。

〈還送〉の実行――エメラルド色の輝きとともに通常の手足に。

夕霧は身を離すと、ごそごそ衣裳《いしょう》のポケットを探《さぐ》り、何かを取り出した。

「頑張った陽炎さんに、ご褒美《ほうび》ーっ♪」

陽炎はそれを受け取り、まじまじと夕霧を見つめた。

牌《ブロック》――

紅い文字＝『中』。

「どうやって……？」

「うふふー。みんなで帰ってから、夕霧だけまた車に乗せてもらったんですよー♪」

急にまた泣けてきたところへ無線通信。

涼月の憮然《ぶぜん》とした声。

《てめー、さっさと仕留めやがれ。死ぬかと思ったっつの。あと、近くで集まってる救急車。お前を利用したあの野郎《やろう》が包帯だらけで運ばれる前に、一発食らわせて来な》

捌《はち》

紅い回転灯／救急車の群／慌《あわ》ただしく運ばれる負傷者たち。

小隊長の指示――従う陽炎。

指に紐《ひも》を絡めて『中』の牌をくるくる回しながら、相手へ歩み寄った。

担架《たんか》の上に横たわり、救急車の順番待ちの時間をしのぐため、鎮痛剤《ちんつうざい》を飲み込んでいる大柄《おおがら》な男。

左肩《ひだりかた》／胸に血のにじむ包帯――しかし瀕死《ひんし》の蒼白《そうはく》というのではないミハエル中隊長も、やって来る陽炎の姿をみとめた。

「大した狙撃《そげき》だ。お前もやつらも。まさか二人組とは、打ち勝ったお前に脱帽《だつぼう》だ」

悪い気はしない――出会い頭《がしら》に誉《ほ》められるというのは。

「そちらも意外に元気ですね」

「プロテクターに感謝だな。骨と肉だけで命には届かずに済んだ」

くるくる回る牌を見て、あの笑《え》みを浮《う》かべた。

「捨てられたんじゃないかと思ってたよ」

「私もそう思ってました」

牌を手の平に握《にぎ》り込む――指先で文字の形をなぞる。

「これを渡《わた》したのは、私を犯人のもとへけしかけるためですか？」

「理由は話した通りだ」

ミハエルのあっさりした返答――言い訳の響《ひび》きは全くない。

「今回も鎖骨《さこつ》をやられた。何度も整形してる骨でな。年々、狙撃に支障が出ている。まだ六百ヤードを必中可能なうちに誰かに渡したかった」

「そういうことなら頂いておきます」

どこかほっとして手を下げる。

ちょっと深呼吸／心の準備／そして肝心《かんじん》な質問。

「あなたの元部下の異動で、私を恨《うら》んでないんですか？」

「恨むってのは奇妙《きみよう》だな。部下も女房《にようぼう》も子供も異動を喜んでる。この街より安全だし、家族一緒《いつしよ》に湖に出掛《でか》けられるしな。それに誰《だれ》だって過《あやま》ちから得るものはある」

そして武骨で機械的で大ざっぱですっきりしていて妙に落ち着く――陽炎がすっかり気に入ってしまったあの調子で、こう付け加えた。

「誰も何も恨んじゃいない。誰のせいでもないんだからな。俺も俺の部下も。お前の親父《おやじ》もお袋《ふくろ》も。お前と彼女も。そうだろう？」

〝よしてくれ〟

彼女の／陽炎の内心。

あんたはつまり私に惚《ほ》れろと言っているのか？　そういう魂胆《こんたん》で喋《しゃべ》っているのか？

だが残念なことにそうではなかった。

そんな訳ないことは分かっていた。

それでちょっと悲しくなり、やや距離《きょり》を置いて言った。

「はい」

「それはそれとして、俺の元部下の色男だが、お前、本気だったのか？　あのくそ真面目《まじめ》な頑《がん》固者《こもの》に？」

急に砕《くだ》けた調子に——茶化すことで相手を救う、タフな男の悪ふざけ《オイレンシュピーゲル》。

「昔は。多分」

なんだか結局やられっぱなしになりそうなので話題変更《へんこう》。

「今はそれより、いつ約束を守ればいいか気になります」

「お前が外した的のことか？　殊勝《しゅしょう》な心がけだな。どうせ二日か三日は入院だろう。そこで数時間かそこら俺の退屈《たいくつ》を紛《まぎ》らわしてくれるってのはどうだ？」

「見舞《みま》いに来いと？」

ぱっと何か色々な光景が浮かんだ。

ベッドとか着替《きが》えとか手入れとかそんなものがめくるめく連想を働かせたが、嫌《きら》われるぞという心の一声で、慌てて消し去った。

「男やもめな上に、薄情《はくじょう》な部下どもに恵《めぐ》まれているからな。何かと仕事が舞い込んでくるが、何せ俺は動けんし、色々と人手がいる」

つまんねーと心のどこかで異議＝精神力で却下《きゃっか》。

「何でしたら搬送《はんそう》中も付き添《そ》いましょうか？」

ミハエルが何台か新たに駆《か》けつけた救急車の方を見る。

「そろそろ順番だな。よし。どんな具合に、お前が二人もの〝射手〟を見つけ出し、狙《ねら》いをつけたか聞かせてくれ」

「救急車の中で？」

「痛みを忘れるという点じゃ、鎮痛剤よりよっぽど効果があるだろうからな」

陽炎が肩《かた》をすくめる。

「ライフル好きもそこまでいくと病気ですね」

あの笑み――最初の頃《ころ》より少しおどけて。

「書類にして提出する手間を省いてやる」

「では、了解《りようかい》です」

そう返した途端《とたん》、何の意図もなく、ちょっとすました感じの微笑《びしよう》が浮かぶのを覚えた。

あれ？　なんかすごく自然？

あらためて相手を見ると、同じように作意も操作もなく接してくれていることが、今さらながら分かった。

ふいに暖かな陽光が差し込んだかのようだった。

これって、もしかして良い雰囲気《ふんいき》？　何も仕組んでないのに——という思いが不思議な気分をもたらした。

探していたものが、急に見つかったような。捨てたはずのものが、意図せず再び手の中に戻《もど》ったような。

だがそのとき異変が起こった。

女の声——叫《さけ》び。

「ミハエル！」

なんだって。

それはまさに、あの女騎馬《きば》隊員であり、七人の小人の衣裳《いしよう》であり、パレード中に陽炎を超絶《ちようぜつ》

に苛《いら》つかせたばかりか、足早に駆け寄ったかと思うと、
白雪姫を差し置いて、包帯だらけのミハエルにひしとしがみついたのだった。

「無事だったのね！」

ズバーン。

陽炎の中で、先ほど芽生えかけた何かが轟音《ごうおん》を立てて吹《ふ》っ飛んだ。

女にひっつかれたまま、ミハエルが言った。

「ああ、紹介《しょうかい》しよう。彼女は俺の――」

「では本官は〝射手〟についての報告書を整えに戻りますので」

相手の言葉を待たず／言わせず／びしっと敬礼――直角に回れ右。

迅速《じんそく》にその場を離《はな》れ去った。

そのため――

「妹だが……」

続きの言葉は宙ぶらりんになって消えた。

「〝射手〟の遺体と武器を回収。二挺《にちょう》ともプリンチップ社製です」

副長フランツ――MPB《エムペーベー》ビル／大隊長室。

壁《かべ》のモニター――撮影《さつえい》班による現場の映像。

「ライフル友愛会と六年前の狙撃《そげき》事件の真相は、やはり明らかにならず。ただし当時、彼女を撃《う》ったであろう、例の人物が背景にいると見て間違《まちが》いないかと……。彼女が我々の側にいることが、災《わざわ》いとなるか、幸いとなるか……まだ、断定は出来ませんな」

沈黙《ちんもく》――大隊長オーギュストは、銃口《じゅうこう》のような重圧を伴《ともな》う眼差《まなざ》しをモニターに向けたまま、ゆっくりとうなずいた。

牌――紅《あか》い文字＝『中』。

それを地面に叩《たた》きつけようとしつつも、なぜかそう出来ず、未練だな、女々《めめ》しいなと思いながら、首にかけ、衣裳の胸元《むなもと》にしまった。

同じ場所からガムを取り出す／開封《かいふう》／ひょいと口の中に放《ほう》り込む。

んぐ、んぐ、んぐ、んぐ、んぐ、んぐ、んぐ＝比類なき八拍子《びょうし》。

ぷーと唇《くちびる》の間から膨《ふく》らみ出る風船ガム。

弾痕《だんこん》だらけの演説台の上――談笑する涼月と夕霧へ歩み寄った。

涼月＝にやりと。

「一発食らわせたか？」

陽炎＝こくっとうなずく。

「がつんとな」

夕霧＝演説台の上で軽快なステップ／手招き。

「陽炎も御一緒《ごいっしょ》にどうぞーっ♪」

パチン――階段を上って檀上《だんじょう》に。

会場出入り口へ目を向ける。

向こうでミハエル中隊長と女の乗った救急車が走り去り、すぐに見えなくなった。

暮れかけた空を見上げた。

腰《こし》に両手を当てる／大きく息を吸う。

「わぁ――――っ!!」

長い長い叫び＝笑いへ。

「――ぁっ、はっはっはっはっは!!」

涼月と夕霧がきょとんとなり、そしてすぐに二人とも競うように笑い声を放ち始めた。

惨状《さんじょう》を呈《てい》する演説台で大笑いする三人の少女たちの悪ふざけ《オイレンシュピーゲル》――

大勢の大人たちが振《ふ》り返り、その騒々《そうぞう》しい不謹慎《ふきんしん》さに、やれやれという感じで肩《かた》をすくめている。

知ったことか。

こっちは笑いたいから笑うだけ。

思いきり笑い飛ばしてやりたいだけ。

言い換《か》えるならこうだ。

くっそー。何が男やもめだ。

あー、もー、

私の馬鹿《ばか》――――――っ!!

EULEN SPIEGEL

第参話

Blowin' in the White

旧約聖書の創世記のお話。

あるときアブラハムは、神様からこう言われました。

「あー、アブラハム、アブラハム」

「はいはい。なんでっしゃろ、神様」

「お前の子供、お前がめっちゃ可愛《かわい》がってる一人っ子のイサクな、あれをモリアっちゅう土地につれてって、わしがこれやと示す山の上でな、わしに生贄《いけにえ》として捧《ささ》げなさい」

「んなアホな」とは、アブラハムは言えませんでした。

壱《いち》

歌が消えていた。

それは実に耐《た》えがたいことだ。

優《やさ》しい気持ち、静かな安らぎ、楽しい浮《う》き浮きとした気分――それら、世界を愛《いと》しいと思える全《すべ》てが消えたようになってしまうなんて。

あるのは殺伐《さつばつ》とした空気／ぴりぴりした緊張《きんちょう》／ぎゅーっと胸が締《し》めつけられる思い。

強靭《きょうじん》な人造心肺と強化肋骨《ろっこつ》でさえ悲鳴を上げるのではと思われるほどの圧迫《あっぱく》感が四方から襲《おそ》

ってくるとともに、少女はそれに抗《あらが》うように、小さく足踏《あしぶ》みを開始していた。

足の爪先《つまさき》を上げる——下げる。

リズム——メロディーが自然と浮かんできて、口が勝手にハミングし始める。

「ンー♪　ンンッンー♪　ンンー♪」

言葉はまだない。

間もなくそれを、リズムとメロディーが空の彼方《かなた》から引き寄せるだろう。

青い空。

目に見えない光化学スモッグの充満《じゅうまん》する、穏《おだ》やかな昼の空。

ミリオポリス第二十五区《ライヒエンシュマウス》の空。

昔＝〝煙の出る街角《ラオヒエンエッケ》〟と呼ばれ、小さな煙突《えんとつ》が沢山《たくさん》並ぶ平和な住宅地。

今＝未来的な建物が地上を埋《う》め尽《つ》くし、国境横断鉄道の中央駅には東ヨーロッパや中東から大勢の人間が来訪。

テロの頻発《ひんぱつ》／過去のクーデター事件では警察と軍が銃撃戦《じゅうげきせん》／ミリオポリス全三十五区の中でも常に圧倒的《あっとう》多数の死傷者を出してきた地区。

それゆえ、街の至るところに煙突の代わりに犠牲者《ぎせいしゃ》を悼《いた》む記念碑《きねんひ》が並び、今や誰《だれ》もがここを〝亡骸の会食《ライヒエンシュマウス》〟と呼ぶ。

葬儀《そうぎ》の後の会食の名──失われたものを偲《しの》ぶ悲しみの名で。

そして現在。

〈赤帽派《せきぼう》〉と称《しょう》する武装集団が、三時間前に当区のラジオ局ビルを占拠《せんきょ》＝多数の人質《ひとじち》とともに立て籠《こ》もり中。

その主張。

「ナチスが実現したドイツとオーストリアの統合《アンシュルス》を再現せよ」

「スロヴェニアやボスニア・ヘルツェゴビナやアジアの移民を街から追い出せ」

「駅を閉鎖《へいさ》して移民が入れないようにしろ」

などといった主張を公共の電波で流しまくっていたが、やがて政府否定演説となるに至り、市の通信事業局がようやく違法《いほう》と断定。

当ビルを包囲中のMPB《エムペーベー》＝〈ミリオポリス憲兵大隊《ポリツァイバタリオン》〉の通信小隊が、即座《そくざ》に電波妨害措置《ぼうがいそち》を講じていた。

結果──沈黙《ちんもく》／膠着《こうちゃく》／一触即発《いっしょくそくはつ》。

一帯にみなぎる殺気立った気配が、優しさも安らぎも楽しさも過去の死者を悼む気持ちもみんな押し殺していた。

でも、だからといって歌が消えていい理由には全然ならない。

世界を愛しく思える気持ちが影《かげ》をひそめていい理由なんて、この地上には、今も過去も未来も、存在しないのだから。

「ンンッ♪　ンーンーン♪」

少女は、十四階建てのビルの屋上に立って、軽快な足踏みをし、徐々《じょじょ》に形をなしつつあるメロディーを口ずさみながら、歌を求めて空を見上げた。

目を奪《うば》う白金の髪《プラティン・ブロンド》／四月の空のように澄《す》み切った青い瞳《ブラオユーギヒ》／すべすべした白い肌《はだ》／生ける宝石のごとき愛らしい笑顔《えがお》／優雅《ゆうが》で軽快なマルチーズの風情《ふぜい》。

広報部から支給された衣服――今日はなぜか体にぴったりした紺色《こんいろ》の水着＝ワンピース型。

伸縮《しんしゅく》性に富んだ丈夫《じょうぶ》な撥水《はっすい》性の生地《きじ》／胸から胴《どう》へ二つラインが伸《の》びて独特の独楽《こま》型をした腰《こし》回《まわ》りの継《つ》ぎ目につながっている。お尻《しり》を覆《おお》う部分に『L&F-B/Engel』――〝愛と喜びの《リーベ・ウント・フロイデ》――天使《エンゲル》／Bがつくとお茶目さん《ベンゲル》〟の白字プリントが少女の朗《ほが》らかさを主張。

すなわち学校用水着《シュールバーデアンツーク》の衣裳《いしょう》。

胸元《むなもと》に縫《ぬ》いつけられた白い布に黒い字で『夕霧《ユウギリ》・クニグンデ・モレンツ』とフルネームを明示／足には頑丈《がんじょう》なサンダル／足首には夏の野菜を模した飾《かざ》り／シュノーケルを模した首飾り／頭部にはなぜか猫科《ねこか》の動物の耳飾り。

広報部の意図。

〝少女の愛らしさと、多数の公募《こうぼ》において選ばれた効果的かつ能率的な衣裳によってマスコミおよび野次馬たちに対し、憲兵隊の人類愛をアピール〟

少女の感想。

〝みんなが楽しい気持ちになれるような可愛《かわい》い衣裳なら何でも大好き♪〟

「ンン―ンッンーンンー♪」

そんな生ける広告塔《こうこくとう》たる少女がリズムとメロディーに身を委《ゆだ》ねようとしたとき。

《本部から白犬《ヴァイス》へ。本部から白犬《ヴァイス》へ》

副長の声＝少女の顎骨《がっこつ》に移植された無線通信《いぬぶえ》。

現場指揮車両からの命令。

《移動だ、白犬《ヴァイス》。敵が強力な火器をビルの南側に運搬《うんぱん》していることが判明。紅犬《ロッター》のいる地点まで戻《もど》り、そこで黒犬《シュヴァルツ》と合流せよ》

「シーンシーンー♪」

《なお現場周辺には多数のマスメディアが取材中だ。よって隊員同士の全《すべ》ての行動や会話、通信にいたるまで万全《ばんぜん》を期さねばならん。白犬《ヴァイス》、特に貴様は厳重注意だ。くれぐれも報道にふさわしからぬ言動を慎《つつし》むよう……。白犬《ヴァイス》？　返事をせんか、白犬《ヴァイス》！》

「シー♪　ンー♪　ンー♪　ンンー♪」

そのとき、リズムが正しくメロディーと結びつき、それが空の彼方《かなた》にいる音楽の神様のもとへ届くとともに、少女のもとへ待ち望んでいた歌が降りてきた。

もし、真っ暗闇《くらやみ》の中で、その手にマッチとロウソクを手にしたら？

何をすればいい？

決まってる。

誰《だれ》だってそれをするし、誰だってそれを止めはしないだろう。

灯《あか》りをともすのだ。

この真っ暗闇の世界に。

跳躍《ちょうやく》――屋上のフェンスの最上部を蹴《け》り、勢いよく空中へ飛び出しながら、暗いぎすぎすした気持ちに包まれる一帯へ、大声で告げた。

「夕霧は思いつきましたよ――っ!!　名づけてぇーっ、テロリスト・ソングーっ！」

かくして隊員／敵／マスコミ／無線マニアにも届きかねない全チャンネル開放設定の無線通信によるハイトーンな歌声が勃発《ぼっぱつ》。

「真っ赤な帽子《ぼうし》のテロリストさっんっはー♪　いつっもみんなっのっ笑い者っおぉ♪　でもっ、この街っのーぉ、ラジオ局をぉー占拠しって言いーましぃたぁっ♪」

《やめろーっ、白犬《ヴァイス》!!》

副長＝絶叫《ぜっきょう》。

「暗いっ夜道はっピカピカのっロケット弾《だん》が役っに立つーのさぁ♪　ハンガリーの小川、チェコのお山、スロヴェニアの街をっ、よこさっないとっ、外国人を撃《う》っちゃうぞー♪」

《黙《だま》れ白犬《ヴァイス》!!　白犬《ヴァイス》!!　ヴァア──いス！》

副長＝甲高《かんだか》い裏声。

だが少女はビルの壁面《へきめん》を蹴って宙を移動しながら抑《おさ》えきれぬ喜びとともに歌唱続行。

「テロリストさんたちの誰もー、その場所に住みたくっないのにーっ♪　でも境界が広ーいとぉっ、その中でっ外国人さんを車で撥《は》ねてもっ罪にならないんですーっ♪」

《無線チップを摘出《てきしゅつ》されたいか、夕霧《ユウギリ》!!》

犬呼ばわりから本名へ──副長の激怒《げきど》の証拠《しょうこ》。

「夕霧はとっても良い子でーす♪　みなさんご静聴《せいちょう》ぉ、ありがとう《ダンケシエーン》っ♪」

ズドン！　とビルの屋上に着地する夕霧。

「いかがでしたか、**陽炎**さん？」

屋上で寝《ね》そべっていた少女がけだるそうに起き上がってパチパチ拍手《はくしゅ》。

「とても素敵《すてき》な歌だね、夕霧」

「夕霧は今日も地球の平和を守る気まんまんです！　陽炎さんはどーですかっ？」

「屋上からダイブする気まんまんだね」

「いつも通りってことですねっ♪」

「だね」

陽炎＝ぷーと膨《ふく》らむ風船ガム。

十四歳とは思えぬ発達した砂時計形の長身／広報部支給の衣裳《いしょう》＝銀ボタンとチェーンつき深紅《ボルドー》のハイレグ水着とリゾートサンダル。

さながら紅《あか》い牝《めす》ドーベルマン。手にどでかいライフル＝隊内随一《ずいいち》の狙撃手《シャルフシュッツェ》。

そこへ新たに到着《とうちゃく》――ビルの谷間を跳《と》び渡《わた》り、颯爽《さっそう》と屋上に降り立つ少女。

「涼月、かっこいー♪　拍手七億回♪」

「ありがとよ」にやりとなる涼月＝くわえ煙草《たばこ》。

すらっとした手足／広報部支給の衣裳＝黒いセパレートのスポーツ水着／大胆《だいたん》なカットのジーンズ＝ギザギザ加工の短パン。

快活な唯我独尊《ゆいがどくそん》少女――可憐《かれん》にして凶暴《きょうぼう》なトイプードルの風情《ふぜい》。

「ピカピカのロケット弾は良かったな、夕霧」

うしゃしゃと笑って有害な煙《けむり》を吐息《といき》＝隊内随一のヘビースモーカー＋突撃手。

びしっと指さす夕霧。

「煙草は三十五歳を過ぎてから！　ルドルフさんみたいにニコチンでお鼻が赤くなっても知りませんよ！」

「誰だルドルフって？」

涼月＝怪訝《けげん》。

「真っ赤なお鼻のトナカイの本名だ」

陽炎＝パチンとガムを弾《はじ》かせて解説。

「生まれ持った赤鼻のせいで虐待《ぎゃくたい》されていたが、サンタからランプ役を命じられ一躍脚光《いちやくきゃっこう》を浴びた。なおサンタのトナカイは八匹《ぴき》で、ダッシャー、ダンサー、ドナ、クーピド、プランサー、ブリッツェン、コメット、そしてルドルフの代わりに引退したヴィクセンだ」

「……お前、そーいう知識って、どっから仕入れてくるわけ？」

涼月＝呆《あき》れ顔。

「オーストリアっ子なら誰でも知っている常識だと思っていたが？」

陽炎＝尊大。

「夕霧も、クリスマスにママに教えてもらいましたよー♪」

夕霧＝浮《う》き浮きステップ。

「るせー。うちはそーいうのなかったんだ」

むすっとした顔でラジオ局を振《ふ》り返る涼月。

「にしても連中、動かねーな。こっちゃ広報部の馬鹿《ばか》どもにアホな衣裳着せられて待機中だっつの」

「じゃあ夕霧が続きを歌いまーっす♪」

涼月＋陽炎——賛同。

「よし。連中に聞かせてやれ、夕霧」「歌っておくれ、夕霧」

「テロリスト・ソングーっ、第二弾！　ロケット弾っと主義主張っ♪　それでみなさん偉《えら》い気分っ♪　逮捕《たいほ》さーれた仲間を釈放《しゃくほう》っするーか、死刑《しけい》っ制度をっ廃止《はいし》しないとぉーっ、一般《いっぱん》市民を撃っちゃうぞーっ♪」

たちまち優秀《ゆうしゅう》なMPB通信小隊が、無線通信に流れる夕霧の歌に暗号化フィルターをかけてノイズまみれに。

そして。

七階建てのラジオ局ビルの窓の一つで、ぱっと閃光《せんこう》が起こった。

「あん？」

涼月——眉《まゆ》をひそめる／目が真ん丸になる。

武装集団の一人が構えるRPG-7の発射機から飛び放たれたロケット弾《だん》が秒速百メートト

ルで飛来。

　安定翼を展開／推進薬の点火／秒速三百メートルにまで加速。

《RPG《ラケーテ》！》

　声よりも速く届く涼月の無線通信。

　夕霧の歌への反響《はんきょう》＋憎悪たるロケット弾が、屋上給水塔《とう》に炸裂《さくれつ》。

　爆炎《ばくえん》。

　火と鉄くずと水が盛大《せいだい》に飛散。

　そのときには既《すで》に三人とも跳躍《ちょうやく》――宙にいた。

　緊急《きんきゅう》通信＝副長。

《武装グループが施設《しせつ》外を爆撃《ばくげき》！　黒犬《シュヴァルツ》・紅犬《ロッター》・白犬《ヴァイス》――〈猋《ケルベルス》〉全頭出撃《アル・シュトゥルム》！　繰《く》り返す、全《アル・》頭出撃《シュトゥルム》！》

「はーい♪　夕霧は良い子でーっす♪」

　夕霧――ラジオ局ビルへと砲弾《ほうだん》のように飛来。

「転送を開封《かいふう》」

　その手足が、遠吠《とおぼ》えのような音とともにエメラルドの幾何学《きかがく》的な輝《かがや》きに包まれた。

〈特殊《とくしゅ》転送式　強襲機甲義肢《きょうしゅうきこうぎし》〉＝〈特甲《トッコー》〉が機能発揮。

手足が水着ごと機甲化――滑《なめ》らかなフォルムの白銀の手足／両腰《りょうごし》に特大の杭打ち機《パイル・バンカー》が出現。

両腕《りょううで》に内蔵された液状金属《フリュスイヒ・メタル》／その硬化《こうか》装置がフル稼働《かどう》。

両手の指から幅《はば》二ミクロンのワイヤー×10を放射――超伝導《ちょうでんどう》の磁力で乱舞《らんぶ》。

夕霧到達《とうたつ》二秒前。

ビルの窓／壁《かべ》／カーテン／そばに立っていた武装犯二名／その武器を存分に切り裂《さ》いた。

「夕霧は歌いますよぉーっ！」

叫《さけ》びとともに足から突入《とつにゅう》――窓と壁がバラバラのピースとなって吹《ふ》っ飛ぶ。

ドカン！　と屋内ホールに着地。

迫撃弾《はくげきだん》のごとき衝撃《しょうげき》――自動小銃《しょうじゅう》を構えていた武装犯二名の首・腕・胴《どう》・脚《あし》・銃身が、音もなく互《たが》いに永遠の別れを告げ、組み立て不能のパズルのピースと化して床《ゆか》に散らばった。

部屋の奥――人質《ひとじち》十余名に銃を向けていた八名の武装犯が一斉《いっせい》に振り返る。

夕霧＝敬礼／生真面目《きまじめ》に。

「ＭＰＢ遊撃小隊でっす♪　みなさんは長生きしたい人ですかっ？」

「権力の犬め！」

発砲／発砲／発砲。

夕霧は宙へ素早《すばや》く跳《と》びながら、彼らの興奮を敏感《びんかん》に感じ取っている。

まるで銃を手にしたことで人生の絶頂期を迎《むか》えたかのように、歓喜《かんき》と怒《いか》りと使命感に満ち溢《あふ》れた彼らに向かって、

「犬は犬でも〈犬犬犬《ケルベルス》〉ーっ♪」

歌うように注釈《ちゅうしゃく》——両手の指から銀に輝く弧線《こせん》を放射。

同時に両腰の杭打ち機《パイル・バンカー》のスイッチオン。

同種のワイヤーでつながれた幾《いく》つもの杭《くい》が四方八方へ飛来＝床や天井《てんじょう》や、武装犯の肉体ごと壁に突《つ》き刺《さ》さり、ワイヤーを網状《あみじょう》に展開。

ワイヤー同士は接触《せっしょく》するとともに、切れる・つながる・一つになる・幾《いく》つにも分かれる・引っ張られる・伸《の》びる——と夕霧の指先一つで変幻自在《へんげんじざい》に姿を変え、夕霧の小柄《こがら》な体を目にも留まらぬ速さで移動させた。

自ら操《あやつ》り人形と化した人形師のごとく飛び、躍《おど》り、山のように撃《う》ち放たれた銃弾は一つとして夕霧をかすりもしない。

ふいに訪《おとず》れる静寂《せいじゃく》。

夕霧が天井を蹴《け》り、風のようにホール中央に降り立ったとき、銃声はやみ、武装犯たちは棒立ちとなり、人質たちは声もなく隅《すみ》に身を縮こまらせていた。

「さん、はい！　みんなみんな生きているんだ、スライスチーズっ♪」

全《すべ》てのワイヤーを一挙分離《ぶんり》。

液状に戻《もど》ってキラキラと銀の輝きが舞《ま》い、フィナーレを飾《かざ》ったときには、歌って踊《おど》れる殺人ミキサー＝白犬《ヴァイス》こと〈悪ふざけの夕霧《オイレンシュピーゲル》〉の本領は、発揮し終えている。

鮮《あざ》やかな金属音。

武装犯たちが握《にぎ》る銃器がバラバラに。

一瞬《いっしゅん》遅《おく》れて、彼ら自身の体が右へ左へ斜《なな》めにずれて崩落《ほうらく》。

人質たちを拘束《こうそく》するロープが全て切断され、揃《そろ》って床に落ちた。

同じとき。

廊下《ろうか》を走る二名の武装犯がホールに接近。

うち一人が、窓越《ご》しに飛来した特大のケースレス弾によって頭部を吹っ飛ばされた。

パチン——ガムを弾《はじ》かせる陽炎。

右腕と一体化した特大の超伝導式《レール》ライフル／スコープ越しに三百メートル先の獲物《えもの》を捕捉《ほそく》。

もう一人がRPGをホールへ向けるとともに、この上なく冷静に、容赦《ようしゃ》なく、指と一体化した引き金を絞《しぼ》った。

紅犬こと〈魔弾の射手の陽炎《フライシュッツ》〉の真骨頂——遠距離《えんきょり》から放たれた弾丸が、ロケット弾の爆薬《ばくやく》にヒット／発射前に点火。

炎《ほのお》と爆風が、そいつの肉体と未来を木《こ》っ端《ぱ》微《み》塵《じん》に打ち砕《くだ》いた。

同じとき。

下階にて、くわえ煙草《たばこ》の黒犬こと〈対甲鉄拳《パンツァーファウスト》の涼月〉が驀進《ばくしん》。

見張り役の武装犯ごと壁を殴《なぐ》り壊《こわ》して食堂へ侵入《しんにゅう》。

この手の集団には必ず一人はいて、突入したら真っ先にぶっ飛ばしてやろうと心に決めていた、大型改造サイボーグ野郎《やろう》を発見。

「てめーは、あたしの獲物だ!」

遊撃小隊〈猋《ケルベルス》〉の小隊長にして無類の一騎打《いっきう》ち好きの涼月——果敢《かかん》に接近。

工業製品みたいな両腕《りょううで》を掲《かか》げるサイボーグ野郎へ、渾身《こんしん》の右ストレート。

そして。

正面の大通り。

MPB〈怒濤《ドランク》〉中隊が突入し、激しい銃撃戦が行われている最中のラジオ局ビルの玄関《げんかん》付近に、突如《とつじょ》として、メルセデス・ベンツSLRマクラーレンが勢いよく走り込んできて、颯爽《さっそう》と横づけした。

運転席のドアが横ではなく上へと開き、悠然《ゆうぜん》と現れる男。

MPB副長フランツ・利根《トネ》・エアハルト。

長身痩軀《そうく》／エリート風の銀縁眼鏡《ぎんぶちめがね》／隊の知恵者《ちえしゃ》こと〈蜘蛛《くも》の巣フランツ〉の勇姿を、テレビカメラが映し出す。
マスコミの視線を十分に意識しながら、この日のために百二十回ローンで購入《こうにゅう》した新車に手をつき、通信マイクを顎下《あごした》に固定――〝有能っぽく見える〟前屈《まえかが》みポーズを決めた。
「全隊員に告ぐ！　敵の抵抗《ていこう》は予想を上回る激しさだ！　だがMPBは断じて退かない！　ともに平和と秩序《ちつじょ》のために戦おう！」
《近づきすぎですす副長》通信小隊の警告。《流れ弾《だま》に当たりますよ》
「この位置が最もテレビ写りが良いという広報部の指摘《してき》だ。多少の危険は――」
その声を、窓が粉砕《ふんさい》される音が遮《さえぎ》った。
外へ吹《ふ》っ飛んできたサイボーグ野郎が副長の新車の上に、**ズガン**！　と落下。
屋根が陥没《かんぼつ》／窓ガラスに亀裂《きれつ》／衝撃《しょうげき》で路上に投げ出される副長。
《あ、くそ、頑丈《がんじょう》な野郎だな》
涼月＝舌打ち。
《しゃぁねえ夕霧、そっち行ったぞ！》
《はーい♪》
夕霧＝即応《そくおう》――窓から跳躍《ちょうやく》。

サイボーグ野郎が、副長の新車の上で起き上がる／新車が軋《きし》む・ひしゃげる・砕ける。

そのそばに夕霧が、ズドン！　と着地。

「わ、私のSLRがーっ!!」

副長＝道路に倒《たお》れたまま絶叫《ぜっきょう》。

「そ、そいつを止めろっ、白犬《ヴァイス》！」

「夕霧隊員はラジャーですっ！」

着地と同時にサイボーグ野郎の体に巻きつけていた両手のワイヤーが超伝導《ちょうでんどう》で乱舞《らんぶ》。

だが突如として、サイボーグ野郎の体が帯電——火花を散らしたかと思うと、ワイヤーが液状に戻って飛散した。

何らかの装置がワイヤーの形成を阻害《そがい》——サイボーグ野郎の雄叫《おたけ》び。

「我々、赤帽派の主張こそ、ドイツ民族の主張だ！」

唖然《あぜん》となる副長。

夕霧はすぐに大きく右手を振《ふ》りかぶり、両腕に内蔵された装置のパワーを大幅《おおはば》に上げ、反動に備えてしっかりと両足を踏《ふ》ん張らせた。

ピストル型にした指のうち、中指にのみワイヤーの放射を限定。

仁王《におう》立ちになるサイボーグ野郎に向かって、凄《すさ》まじいまでの勢いで手を振り下ろした。

ズバン！　という音と同時に、ぴたりとサイボーグ野郎が動作を停止。

一瞬《いっしゅん》の沈黙《ちんもく》。

副長が、マスコミが、副長が救出に来た隊員が、揃《そろ》って見守る中、サイボーグ野郎の顔面に、ぴしっと縦の線が入り、脳天から股間《こかん》まで二つに分かれ、それぞれ新車のフロントとリアに倒れた。

かと思うと、新車の真ん中にも同じ線が走り、運転席側と後部座席側を分けるようにして、真っ二つになった車体がその場に切断口を落としていた。

「モザイク！　モザイク！」テレビクルー。

「コメントを！」レポーター。

「こっち向いて下さい！」カメラマン。

副長＝蒼白《そうはく》／涙目《なみだめ》／突《つ》き出されたマイクに震《ふる》える声で応答。

「と……貴《とうと》い犠牲《ぎせい》が支払《しはら》われようとも、わ、我々は、平和のため、断固、戦い抜《ぬ》くのです」

レポーター＝夕霧にマイクを向けて。

「危険な任務に従事することをどう思いますか？」

夕霧＝マイクと質問を無視——カメラに向かって、にっこり微笑《びしょう》。

「見てますかぁー、ママ♪　夕霧は今日も元気いっぱいで歌ってますよーっ♪」

弐《に》

「先日のマスコミ戦略は功を奏した」

副長＝悲しみの表情。

「過去二十四時間、十七の番組がMPBを好意的に取り上げ、我々への支持率も上昇《じょうしょう》。くだんの赤帽派の主張などかけらも流布《るふ》してはいない。むしろ私のSLRに同情する声の方が高いといえるだろう」

MPB《エムペーベー》本部ビル二十二階。

大会議室に集合した各隊隊長／涼月＋陽炎＋夕霧。

わざわざ最前衛に飛び出し、被害《ひがい》を受けた副長の新車に同情する者――なし。

檀上《だんじょう》に立つ副長の横手に、どっしり座った大隊長オーギュスト・天龍《テンリュー》・コール。巌《いわお》のような体軀《たいく》／銃口《じゅうこう》より雄弁《ゆうべん》で容赦《ようしゃ》ない眼《め》。

さらに壇の反対側に立つ、ひょろりと背の高い男。

その男に視線を送りながら、副長が言った。

「なお、今後のマスコミ戦略について、広報部より詳細《しょうさい》な説明がある」

副長が壇から離《はな》れ、代わりに男が立ち、妙《みょう》にくねくねした動作でマイクに口元を寄せた。

「みなさん、**千々石《チヂワ》です**」

丁寧《ていねい》に染めたブロンド／ピンクのカラーコンタクト／両耳にピアスの束／両手とも機械化＝極彩色《ごくさいしき》のネイルアート。

広報部マスコミ課課長**ミゲル・千々石・ベイカー**――元デザイナー兼《けん》プロデューサー／MPB隊員の衣裳《いしょう》デザイン責任者。

文化委託《いたく》された漢字名《キャラクター》は二十五歳でミドルネームになるが、いまだにその名で呼ばれることを要求。

当年三十二歳にして永遠の二十五歳を主張する美男子。

「先日の戦闘《せんとう》は広報という点から見ても素晴《すば》らしいモノでした。アタシの目論見《もくろみ》通り、テレビ番組『秩序《ちつじょ》を取り戻《もど》せ』ではMPBを特集取材。半年後に放送が始まる警察ドラマ『コンフィデンシャルM』のモデルはMPBになり、我々広報部が演技指導を行います。さらに――」

千々石＝涼月らへウィンク。

「アナタたち、特に夕霧ちゃんを使って番組作りをしたいという問い合わせが四件。また、プラーター遊園地の子供向け犯罪防止キャンペーンでも、アナタたちに出演して欲しいと問い合わせアリよ」

「アホくさ」

げんなりする涼月。

「夕霧は可愛《かわい》いからなあ」

同意する陽炎。

「わーい♪　遊園地でアトラクションですよーっ!!」

快哉《かいさい》の声を上げる夕霧。

「……彼女を使うのは危険ではないのか？」

副長＝神妙な顔で警告。

「民衆は彼女を求めてます、副長」

千々石――鞄《かばん》から封筒《ふうとう》の束を取り出す。

「これを見てちょうだい。全《すべ》て、夕霧ちゃん宛《あ》てのファンレター。今朝届いたばかりの未開封《かいふう》モノよ」

「すごい、すごーい♪」

諸手《もろて》を挙げる夕霧。

「夕霧にも見せて欲しいですーっ♪」

「さ、どうぞ。コレこそ民衆が渇望《かつぼう》する証《あか》しよ」

千々石が壇を降りて夕霧に封筒の束を渡《わた》す。

「待て、検閲《けんえつ》を通していない郵便物は……」

副長の制止――間に合わず。

ビリッと音を立てて夕霧が開封――中身を広げる。読み上げる。

「えーっと♪　『人殺しは街から出て行け!!』って書いてありまーす♪」

涼月も陽炎も、他《ほか》の隊員の面々も、ちょっと神妙な顔つきになった。

夕霧はさらに開封――『死ね』『軍国主義者ども』『息子《むすこ》の命を返せ』『呪《のろ》ってやる』

涼月＝うんざり。

「ファンレターっつー割には、好かれてねーみたいだけど？」

千々石＝ふふんと鼻息。

「憎《にく》まれるコトもスターの条件。ソノ点でも彼女は最高よ」

夕霧＝ふと手を止めて。

「夕霧はー、これって開けない方が良いと思います♪」

「ナニ言ってるの夕霧ちゃんたら」

千々石――夕霧の手から封筒を取り上げる。

「否定されるコトを怖《こわ》がってはいけないわ。アタシもかつて義手のデザイナーとして芸術を理解できない馬鹿《ばか》どもから色々と贈《おく》られましたわよ。剃刀《かみそり》とか人骨とか弾丸《だんがん》とか――」

「待て、検閲を……」

副長の制止――間に合わず。

ズガン！

突然《とつぜん》の衝撃《しょうげき》――開いた封筒が爆発《ばくはつ》。

その場にいる全員が呆気《あっけ》に取られた。

「指が！　アタシの指が！　芸術が！」

千々石――手紙爆弾の爆発で義手が崩壊《ほうかい》。

会議は騒然《そうぜん》となった。

参

テレビ＝中東に資本を持つテレビ局アルジャジーラ・オーストリア《エースタライヒ》の取材番組。

ミリオポリス第二十六区《ラッフルズシティ》。

背景に、多数の文化委託された建物。

川辺のマーライオン／アンコールワットの一部／金閣寺《きんかくじ》。

レポーター。『では、この地区の元締《もとじ》め的存在であったあなたが組織を解散した理由は、やはり彼女の存在が大きいと？』

公園のベンチに座る、シルクハットをかぶったユダヤ系の男。

『あたしも以前は組織犯罪ってやつに手を染めてましてね。ユダヤの戒律《かいりつ》に従って、それと縁《えん》を切ったわけです。何と言っても、目の前で兄弟分や部下たちが全員死んじまいましてね。てのも――』

男が隣《となり》を向く――カメラが、そこにいる白いミニのワンピ姿の夕霧の姿を映し出す。

『この子がみんな殺《や》っちまったんですわ。大の男を十三人もね。あたしも腕《うで》をバッサリやられましてね』

男が袖《そで》をまくる――二の腕から機械化された右腕。

『いや、運が良かったですわ。弟なんてサイコロステーキみたいにされちまいましたから。こんな化け物がいるんじゃ商売どころじゃねえと悟《さと》りましてね。いや、この子を恨《うら》むなんて考えたこともないですよ。この子のお陰《かげ》で今は清廉《せいれん》潔白の身ですからね。何より、この子にはあたしと同じユダヤの血が流れてるそうで。イディッシュ語が分からないにしても、同胞《どうほう》であることに違《ちが》いありませんから。あたしは同胞の血の禊《みそ》ぎによって悪を洗われたってわけです』

レポーター。『大物マフィアだったスレーブンさんに引退を決意させたのが、たった十四歳の夕霧さんであるとは驚《おどろ》きです。夕霧さんは今のお話をどう思われましたか？』

夕霧。『スレーブンさんは良い人ですよ？　だってずっと怖がって泣いてたもん』

はっはっは——男＝夕霧の肩《かた》を優《やさ》しく叩《たた》く。

『いや、本当は泣くどころじゃないですわ。マジでビビって気を失いましてね』

レポーター。『泣くマフィアも黙《だま》らせる勇ましい夕霧さんは、いつもどんなことを考えて任務についているのですか？』

空を指さす夕霧——遥《はる》か遠くへ向けられる眼差《まなざ》し。

『ママのこと。ママはお空に行ったけど、夕霧はまだ行けないんです。みんなのために働いて、もっと夕霧が良い子になれば、ママのいるお空へ行けるんですよ。それとルーマニアのお城のこと。いつかママと一緒《いっしょ》に住もうって言ってた場所。きっとそこに住めるようになったら、ママが夕霧のことを迎《むか》えに来てくれるんです』

レポーター。『素敵《すてき》なコメントをありがとうございました。では次は——』

巻き戻《もど》し。

入念にトリミング加工の準備を整え、見当をつけておいた位置で再生。

男。『この子がみんな——』

一時停止。

カメラが視線を変えた一秒後。

スカートが一番はだけ、夕霧のすべすべした太腿《ふともも》が最も良く見える画《え》を抜《ぬ》き出す。

画像を調整——隣で図々《ずうずう》しく夕霧の肩に触《ふ》れる男の存在を丹念《たんねん》に切り取り、あたかも夕霧が一人でベンチに座り、こちらに微笑《ほほえ》みかけているような画像に。

保存——ファイル名『Ugili-2000』。

記念すべき二千個目にふさわしい素敵な画像。

青年はうっとりとなってそれを眺《なが》めた。

彼女の画像採取に関しては自分が一番上手《うま》い。

彼女をターゲットにする盗撮魔《とうさつま》や画像蒐集家《しゅうしゅうか》は多いが、それでも自分がネットにアップロードする画像が一番人気がある。

喜びは技《わざ》を拓《ひら》き、怠惰《たいだ》を駆逐《くちく》する——全くもってその通り。

青年は端末《たんまつ》のモニターを切り替《か》え、全ヨーロッパのマスメディア一覧を表示した。

『MPB《エムペーベー》』『ユウギリ』『特甲《とっこう》児童』といったキーワードが使用されれば、すぐにアラームで素敵な画像の在処《ありか》を教えてくれる仕組みだ。

該当《がいとう》は七件——だが全《すべ》て放映や掲載《けいさい》の予告だった。

まあ、いいさ。

青年は肩すかしを食《く》らった気分を上手に放《ほう》り捨てた。楽しみが後に待ってるのは悪いことじゃない。何せ時間は沢山《たくさん》ある。ありすぎるほどに。

自分には仕事もない、家族もいない、友達と出かける予定も、恋人《こいびと》もいない。あるのは時間。そして遺産。

以前はそれを地獄《じごく》のように感じたこともあった。

死んだ親から受け継《つ》いだ自宅で、刑務《けいむ》所《しょ》のようにただ時間が過ぎてゆくだけの日々。そして気づけば二十七歳になっていた。

けれども今は、やることが沢山ある。楽しみと興奮と幸せな気分をもたらしてくれる、数多くのやるべきことが。

青年は時刻を見た——午後八時五十分。

いつもの連絡《れんらく》まで、あともう少し。

わくわくする気分——興奮は、ともすると苛立《いらだ》ちや衝動《しょうどう》につながり、座っている椅子《いす》を思いきり壁《かべ》に投げつけたり、家具や置物を壊《こわ》したりといった行動に駆《か》られる場合もあった。

そういう気分になったせいで、何年か前に、パパのゴルフクラブで、ママのピアノを滅茶苦《めちゃく》茶《ちゃ》に叩き壊したことがあったが、へとへとに疲《つか》れて虚《むな》しい気持ちになっただけだった。

だがそんな衝動的な激情も、最近では滅多《めった》に起こらない。

全てあの人のお陰《かげ》。

そして、あの子のお陰だ。

夕霧――MPBの天使。機械化された十四歳の少女。

青年は改めてモニターを見つめ、幾《いく》つかの自動検索項目《けんさくこうもく》に面白《おもしろ》いものがないか探した。

『手紙爆弾《ばくだん》』のニュース――どこにもない。

あの手紙に仕込んだ爆薬が不発だったのだろうか。

いや――MPBが情報を伏《ふ》せたのだ。

MPBは街の人気者になろうとしている。わざわざ嫌《きら》われていることを公言したりはしないだろう――やっぱり、あの人の言った通りだ。

『特甲児童』についての話題。

どこかの誰《だれ》かが、非公式の〈猋《ケルベルス》〉のファンサイトに、よくある噂《うわさ》を書き込んでいた。

特甲児童は、もともと人格改変プログラムによる感情の喪失《そうしつ》を前提とした、まさに生ける兵器だった。だが公安の秘密部隊で事故が発生したため、そのプログラムは破棄《はき》されたというのだ。事故は、空中機動型の特甲児童の訓練中に発生したもので、なんと三人の少女が互《たが》いに殺し合いを始めたらしい。

青年はその一文をコピーし、『眉唾《まゆつば》もののまことしやかな噂』のファイルにコピーした。

ふいに机の上で携帯電話《けいたい》が鳴った。

あの人だ。椅子から跳《と》び上がるようにして電話をつかみとった。

「リヒャルトさん？」

愉快《ゆかい》そうな声。

「おやおや、シュテファン。私のことはトラクルおじさんと呼んでくれと言ったはずだよ？」

「あ……うん、ごめんなさい。ねえ、僕がトラクルおじさんに言われて、ラジオ局を襲《おそ》った人たちに渡《わた》した例の装置って、ちゃんと働かなかったのかな？」

「いいや、ワイヤーの無効化には成功したとも。ただ無効化するよりも遥《はる》かにワイヤーの速度が速かったんだ。お陰で改良すべき点が明確になった。死者の魂《たましい》に冥福《めいふく》あれだ」

「装置が改良されたら、僕にもくれる？」

「おやおや、シュテファン。そんなに早く、彼女に自ら接触《せっしょく》したいのかね？」

「うん、まあ」

青年は顔を赤らめたが、相手がトラクルおじさんなので正直に返事をした。

「だって彼女を僕のものにすることが、今の僕の何よりの夢なんだもの」

「分かっているよ、シュテファン」

男は優《やさ》しく言った。

「こちらの見込み通り、彼女はこれからマスコミの前に頻繁《ひんぱん》に姿を現すだろう。チャンスは幾らでもある。何より重要なのは操作《ハントハーベン》だ。それが、この世で最も偉大《いだい》な行為《こうい》だ」

「うん、トラクルおじさん」

電話を耳に当てたまま青年はうなずいた。

操作《ハントハーベン》。その言葉の魔法は、これまで十分に実感している。

青年はもう一年以上も、トラクルおじさんに言われて、電話でテロリストに武器がある場所を教えたり、襲撃《しゅうげき》の計画をネットで渡したりしていた。

巨大《きょだい》な拳銃《けんじゅう》が入ったプレゼント箱を公園のベンチに置いたり、信じられないくらい軽いライフルが入ったゴルフバッグを郊外《こうがい》の山小屋に送ったりしたこともあった。

そしてしばらくすると事件が発生する。誰も青年の存在を知らないまま。

青年の名がシュテファン・丈蛇《タケダ》・ツヴァイクであることも、二十七歳であることも、秘密を抱《かか》えたまま一人暮らしをしていることも知らないままに。

それらを知るのはただ一人――トラクルおじさんだけだ。

去年の叔父《おじ》の命日に、トラクルおじさんは突然《とつぜん》現れた。

ルター派の牧師だった叔父を偲《しの》んで親族や信者が集まり、青年が教会のクッキーを齧《かじ》っているところへ声をかけられたのだ。

「やあ、君がシュテファンだね」

　驚《おどろ》いて振《ふ》り返ると、すぐそばに男が立っていた。

　大きな鷲鼻《わしばな》／生気に満ちた緑の目／綺麗《きれい》にはげ上がった頭。

　唇《くちびる》の両端《りょうたん》を同時に吊《つ》り上げる独特の笑顔《えがお》──それほど大柄《おおがら》ではないのに、青年は咄嗟《とっさ》に、まるで巨人《きょじん》を前にしているかのような錯覚《さっかく》を覚えていた。

　そして、ネクタイ。

　小さな黒い手の絵柄が、幾つも並んでいる、ちょっと不気味で、やけに存在感のある、まるで青年が見た叔父の秘密にも通じるような素敵《すてき》なネクタイだった。

「ネクタイが気になるかね？」

　男は、青年の視線を正確に察して言った。

「これのオリジナルである黒手会《ブラックハンド》は御存《ごぞん》じかな？」

　青年はかぶりを振った。相手を誰だろうと思いながら。親族か信者かも分からなかった。

「かつてオーストリア皇太子夫妻を射殺し、第一次世界大戦を引き起こした青年プリンチップを支援《しえん》した組織さ。さらにその背後には同じマークを持つ秘密結社が存在した。ところで、君が叔父上から受け継《つ》いだ、あの**制服**の着心地《きごこち》はどうだね？」

　青年は茫然自失《ぼうぜんじしつ》となった。まさか叔父の秘密を知る人間がいるとは思わなかったのだ。

だがトラクルおじさんは何でも知っていた。

青年が、ずっと一人で暮らしていることも。ある特甲児童《とっこう》の少女に入れ込んでいることも。ネットで手紙爆弾《ばくだん》の作り方を調べ、実際に作ってはみたが誰《だれ》かに送る勇気がなかったことも。

そして――叔父が実は熱烈《ねっれつ》なナチスシンパだったということも。

青年の祖父が所持していた親衛隊の制服をひそかに隠《かく》し持ち、教会の礼拝堂で聖書に向かって「ハイル！」と敬礼する叔父の姿を、子供だった頃《ころ》の青年が偶然《ぐうぜん》、目撃してしまったことも。ナチス式の敬礼を、学校や教会など公式の場で行うことは、この国では三年から五年の刑《けい》に値《あたい》する犯罪である。

しかし青年は、そのことを誰にも言わず、叔父も見られたことを悟《さと》っていたが何も言わず、沈黙《ちんもく》の中で秘密は守られた。

そして叔父の死の前日、ナチスの制服一式が、青年宛《あ》てに届けられたのだ。

青年はときどきその制服を着て、生前の叔父のように、聖書に向かって敬礼するたび、ぞくぞくする快感を味わったものだった。

そうしたことも全《すべ》て、トラクルおじさんは知っていた。

トラクルおじさんは言った。

「君の叔父上はとても優秀《ゆうしゅう》な方だった。信者の寄付金をネオナチに流すだけでなく、もっと大きなことをしようとしていた。そして私は、彼にその願いを叶《かな》えさせてやる予定だったのだよ。だが残念なことに彼は病に倒《たお》れた」

「……大きなことって？」

期待と恐怖《きょうふ》とそれ以上の何かを込《こ》めてそう訊《き》いたとき、青年は既《すで》に自分がその一部であるかのように感じていた。大いなる使命感と喜びが約束された、素晴らしい感覚だった。

「思い出の森をハイキング中かね？」

トラクルおじさんの声で青年は我に返った。

「あ……うん。ねえ、例の計画はいつ？　僕も参加したいんだけど……」

「次に君が仕事を果たしたときだ。そのとき君に例の物を渡《わた》そう」

「ほんとに？　僕にやらせてくれるの？」

「君以外にふさわしい人間はいなかろう。今は準備のときだ。さ、メモを。計画と手段を、実行する者のもとへ届けてあげたまえ」

青年は目を輝《かがや》かせながら、トラクルおじさんの言葉を一つ残らず書き記していった。

肆《し》

テレビ＝アルジャジーラの取材番組。

レポーター。『では次は、夕霧さんの特甲の威力《いりょく》を見せて頂きたいと思います』

ミリオポリス第二十六区《ラッフルズシティ》の公園に運び込まれた戦車。

ティーガーⅡヘンシェル型。

レポーター。『こちらは廃棄《はいき》処分が決定したもので、鋼鉄を再利用して平和の像になる予定です。こちらに、この戦車を保管していた博物館の館長さんに来て頂いています』

杖《つえ》を突《つ》きながらやって来る老人＝館長。

『あー、戦車っちゅうのは**男の夢**だけんども平和利用ちうんで市に売却《ばいきゃく》しましてな。その金で今度は戦闘機《せんとうき》を買って飾《かざ》る予定ですわ』

にわかに流れるマーチ――夕霧が登場。

MPB《エムペーベー》広報部作――純白の**ウェディングドレス**。

レポーター。『みなさんから最も多く応募《おうぼ》がありました衣裳《いしょう》で登場です。素敵ですね。では男の夢を夕霧さんに斬《き》って頂きましょう』

夕霧――ブーケを高々と掲《かか》げて脚《あし》を踏《ふ》ん張る。

『転送を開封《かいふう》』

輝きとともに機甲化――翻《ひるがえ》るドレス。フルパワーの唸《うな》りを上げる右腕《みぎうで》。

そしてブーケを投げ放ちながら、猛然《もうぜん》とその手を振《ふ》り下ろした。

ズダン！　という凄《すさ》まじい衝撃《しょうげき》音とともにワイヤーが奔《はし》った。

一瞬《いっしゅん》の沈黙ののち、バガーッと戦車が三つに分断されて鉄くずと化す。

かと思うと、背景に映っていたアンコールワットの一部がゆっくりと斜《なな》めにずれ、その向こうで幾《いく》つもの絶叫《ぜっきょう》が発生した。

レポーター。『ああっ。なんと世界の文化遺産であるアンコールワットが切断されました。たった今入った連絡《れんらく》によりますと日本から文化委託《いたく》された金閣寺の屋根が急に二つに割れたそうです。さらにその先の教会のステンドグラスが切断され、まさに挙式中のカップルの上に落下したとのこと。同教会に飾られていたモナリザのレプリカも真っ二つになり、さらに一部では月が割れるのを見たという真偽《しんぎ》定《さだ》かならぬ情報が――』

「……なんっ――だこりゃ」

机に向かっていた涼月＝テレビを見て呆《あき》れ顔。

ＭＰＢ本部ビル十二階。

女子隊員寮《りょう》＝涼月の部屋。

「ほら、ここだ。落ちるぞ」

陽炎がテレビを指さす。

同時にアンコールワットの一部が公園に崩《くず》れ落ちた。

騒然《そうぜん》となる一帯をよそに、浮《う》き浮き踊《おど》る夕霧。

『ママ、見てますかー？』

「ふふふ可愛《かわい》いなあ夕霧。涼月も、せっかく録画をしたのだからちゃんと見てやれ」

「アホか。さっさと自分の部屋に帰りやがれ」

再び机に向かう涼月――教科書のページをめくる。

「そうしたいところだが、私の部屋のテレビは、なぜか雑誌や衣服で、半分ほど隠《かく》れてしまっていてね」

「片付けろ、タコ」

「なぜ受験勉強を？」

陽炎＝ふいに声を落として。

「特甲《とっこう》児童の労働期間を変えるには、尋常《じんじょう》ではなく高い点数が必要なのだぞ。そんなに今の仕事を辞《や》めたいのか？」

「……逃《に》げるためじゃねーよ」

涼月＝むすっとした声／教科書から離した手を、顔の前で大きく広げて。

「なんて言うか……もっと大きなもんを握《にぎ》るには、今のあたしの手じゃ小さすぎんだ」

「大人用の手にでも変えてもらう気か？」

「馬鹿《ばか》」

涼月＝陽炎に背を向けたまま。

「夕霧が教えてくれたんだ。あたしの手は、単にくそったれな障害のせいで腐《くさ》ってなくなったんじゃねえって。もっと大きなもんをつかむとか、助けるとか、動かすとか、そういうことのために、あったんだってな。それが出来ないまま、この街に殺されんのはごめんだ」

「街自体を動かそうとする存在もいる」

陽炎＝パチンと弾《はじ》けるガム。

「あの、プリンチップ社だ」

「テロ屋どもに武器を流してるタコだろ」

「それ以上の存在だ。過去十年、世界中のテロおよび紛争《ふんそう》に、必ずと言えるほど関与《かんよ》している。その意図も目的も不明。それこそ私らには想像もつかない大きなもののために動いているんだろう。ただ、大隊長も副長も、全《すべ》ての因果関係を説明できる人間がいるとみなし、その逮捕《たいほ》を目論《もくろ》んでいる」

「人間？」

「リヒャルト・トラクルという男だ。性別も年齢《ねんれい》も不詳《ふしょう》。プリンチップ社のエージェントとして、ヨーロッパ中の治安組織が国際指名手配犯とみなしているにもかかわらず、いまだに顔写真一つ公開されていない」

「幽霊《ゆうれい》みてえな野郎《やろう》だな」

涼月＝初めて相手を振り返る／にやりと笑《え》み。

「どんな相手だろうと、あたしの街で勝手するタコは――」

ズダダン！　という音が声を遮《さえぎ》った。

隣《となり》――夕霧の部屋。

涼月と陽炎が立ち上がった。

「あいつ、一人で何やってんだ？」

「さて。私たちが集まっているのに夕霧が来ないのがおかしいと思っていたが……」

廊下《ろうか》――涼月の部屋から出て、左が陽炎・右が夕霧の部屋。

「夕霧ーっ？」

涼月がドアをノック。

返事がないのでそのまま押し入る。

途端《とたん》、床中《ゆか》にひしめく雑誌や服や小物やバッグや、得体の知れない何かに足を取られた。

「なんっ――だ、こりゃ……」

「すごいな。私の部屋でもここまでひどくはないぞ」

陽炎＝感心――大きな荷物の山を指さす。

「あれが崩れた音らしい」

「あー……夕霧はどこだ？」

涼月＝呆《あき》れ顔――すると荷物の山が大きく揺《ゆ》れ、どどーっと崩れたかと思うと、中から夕霧が飛び出してきた。

「**ママの電話**がないのぉ」

夕霧＝泣きべそ。

「大事な電話ぁ。ママと話せないのぉ」

「あー……だから片付けろっつってんの」

げんなりした顔で、そこらの荷物をひっくり返して捜《さが》してやる涼月。

陽炎――じっと狙撃手《そげき》の眼差《まなざ》しで部屋を眺《なが》めていたかと思うと、ベッドの枕《まくら》の陰《かげ》から見えるアンテナを発見。
すたすたと近寄り、本体を引っ張り出す。
「これではないのか？」
「ありましたーっ！　ママの電話ーっ！」
夕霧＝小躍《こおど》り。
「どーせママに電話しながら寝《ね》ちまったってんだろ」
涼月＝状況《じょうきょう》による推理。
だが夕霧は陽炎から電話を受け取ると、さっそく番号を押している。
電池も切れた、旧型のどこにも接続されない電話のボタン。
涼月と陽炎は互《たが》いに顔を見交《みか》わし、肩《かた》をすくめ、部屋を退散した。
残された夕霧は、壊《こわ》れた電話を手に喋《しゃべ》っている。
口調は幼くなり、目はキラキラし、声は歌う調子を帯びてゆく。
もしもしママ。聞こえますか。
街は今日も平和です。夕霧は良い子にしています。
見ていてくれましたか。
夕霧はママとみんなのために良い子にしています。

いつかママがむかえにきてくれるときまで、ずっと良い子にしています。
ママに教えてもらったお歌をいつも歌ってます。
ママ——
夕霧はまだとべません。
いつかママのようにとべるようになりたいです。
ママのいるところへとんでいきたいです。
どうかママがそこにいますように。どうかじょうずにとべますように。
どうかママともういちど会えていっしょに歌えますように。
どうかママのいるお空が、ママが言ってくれたような綺麗《きれい》な青色でありますように。
そう、いつも夕霧はお祈《いの》りしています。
おやすみなさい、ママ。

伍《ご》

ミリオポリス第二区《レオポルトシュタット》——プラーター遊園地の特設舞台《ぶたい》。
犯罪防止キャンペーン。支給された特別衣裳《いしょう》。

「なんっ——だこりゃ……」

涼月＝黒い犬の着ぐるみ。

「本当は世界的に有名なネズミの衣裳の予定だったらしい。だが名前を出しただけで何万ユーロという支払《しはら》い義務が生じるので中止になった」

陽炎＝紅《あか》い犬の着ぐるみ。

「涼月犬は怒《おこ》りっぽいのが特徴《とくちょう》でっす♪　陽炎犬はとってもお利口さん。夕霧犬はお歌が大好きーっ」

夕霧＝白い犬の着ぐるみ。

「人を品種みたいに言うんじゃねーっつの」

涼月＝頭部を覆《おお》う巨大《きょだい》な犬の顔面の真ん中で、眉間《みけん》に皺《しわ》を刻んだむかつき顔。

そこへ広報部マスコミ課課長こと千々石＋子供たち＋テレビクルーが到来《とうらい》。

「ほーら、あそこに、平和のために戦うワンちゃんたちがいますよー」

千々石の大声——たちまち幼い子供らが歓声《かんせい》を上げて寄って来た。

夕霧＝一緒《いっしょ》に大はしゃぎ。

陽炎＝着ぐるみの手袋《てぶくろ》のまま器用にガムを配布。

涼月＝子供らに蹴《け》りを入れられ、怖《こわ》い笑顔《えがお》。

パンパンと修理済みの義手を叩《たた》く千々石。

「良い子のみんなの夢は何かなー？」

子供らの応答——朗《ほが》らかに。

「良い市民になることでーす！」

その様子をテレビクルーが撮影《さつえい》——意味不明に国歌を歌い出す千々石＋子供たち。

「……なんだ、あの異様に模範《もはん》的な返事は」

涼月＝気味悪そうに。

「テレビ向けに教育されたチビっ子たちだからな」

陽炎＝うんうんとうなずきながら解説。

「とっても良い子たちですねー♪」

夕霧＝細かいことは気にせず笑顔。

「はーい。みんなの夢と平和を守る良いワンちゃんの人質《ひとじち》救出劇が始まりますよー」

舞台の周囲にミリオポリスの都市のミニチュア——文化委託《いたく》された東京タワーの模型。

そのそばに千々石および四名の劇団員たち＝人質役。

ＭＰＢ本部ビルおよび警察署の模型のそばで待機する陽炎と夕霧＝良いワンちゃん。

『ロケットの街』と書かれたボトルシップロケットの模型の隣《となり》に涼月＝悪いワンちゃん——凶《きょう》

悪《あく》に不機嫌《ふきげん》な顔。

「なんであたしが犯人役なんだっ。つーか一人でこんな数の人質を見張れるわけねーだろっ」

陽炎＋夕霧――晴れやかな笑顔。

「ふふふ問答無用だ犯人め」「さーあ、突撃《とつげき》ーっ♪」

「ちょっと……」

涼月＝呆然《ぼうぜん》――跳《と》んできた夕霧犬のお尻《しり》に突《つ》き飛ばされてゴロゴロ転がったところへ陽炎犬がダイブ。その腹が容赦《ようしゃ》なく涼月犬の顔面に落下。

むごー！　と呻《うめ》きを発しながら涼月犬が相手を押し返し、素早《すば》く立ち上がりざま、夕霧犬のドロップキックを寸前でかわし、両拳《りようこぶし》を振《ふ》り上げて絶叫《ぜつきよう》。

「上等だてめーらぁーっ!!」

子供らが喜んで拍手《はくしゅ》――千々石がさらに場を盛り上げる。

「あーれー、助けてぇー」

「やかましいっ」

涼月犬の着ぐるみ右フック――ボディに食《く》らった千々石が転倒《てんとう》。

「隙《すき》あり」

陽炎犬のショルダーアタック――涼月犬が一撃で舞台に転がる。

「くそっ！」

「今のうちに人質さんを救出ーっ♪」

夕霧犬が千々石を助け起こし、他《ほか》の人質たちに呼びかける。

「さー、みなさんで脱出《だっしゅつ》です♪」

子供たちの喜びの声。だが四名の人質たちはじっと夕霧を凝視《ぎょうし》している。

かと思うと全員が次々に懐《ふところ》から何かを取り出し、一斉《いっせい》に、夕霧に向かって突き出した。

それらが実弾《じつだん》を装塡《そうてん》した拳銃《けんじゅう》であると察するより前に、男たちの目つき・雰囲気《ふんいき》・動作から、瞬時《しゅんじ》に危険を悟《さと》った夕霧は、千々石を思いきり突き飛ばし、両腕《りょううで》を顔の前で交差させ、子供たちに被害《ひがい》が及《およ》ばぬよう、その場で的になった。

発砲《はっぽう》——至近距離《きょり》。

右腕に二発・左腕に三発・胸に二発・腹に一発・右脚《みぎあし》に二発。

計十発の弾丸が、〈転送〉されていない通常の夕霧の体に、まともにヒット。

白い着ぐるみが銃弾の熱で焼け焦《こ》げ、夕霧はなおもその場に立ち、危険な打撃を受けたことで〈特甲〉が緊急《きんきゅう》起動し、手足に輝《かがや》きが起こった。

「夕霧ーっ！」

涼月の叫《さけ》び——陽炎が即座《そくざ》に駆《か》け寄ろうとしたとき、既《すで》に、夕霧の右手から放射されたワイヤーが、存分にその機能を発揮している。

パキッ、という乾《かわ》いた音を立てて、全《すべ》ての拳銃が二つに両断された。

その最初の断片《だんぺん》が地に落ちるとともに、男たちの首が・腕が・脚が・胴体《どうたい》が・はらわたが・東京タワーが・MPB《エムペーペー》本部ビルが・警察署が・ボトルシップロケットの模型が、バラバラになって崩落《ほうらく》し、真っ赤な血に染まった。

ばたばた気絶する子供たち。

膝《ひざ》を折ってげえげえ吐《は》くテレビクルー。

弾丸がかすめたせいで火のついた頭髪《とうはつ》を叩《たた》きながら絶叫する千々石。

「髪《かみ》が！　アタシの髪が！　芸術が！」

銃撃と返り血で見るも無惨《むざん》な夕霧が、死体を見つめながら言った。

「夕霧は人質さんたちを助けようとしたの。でも、人質さんたちに嫌《きら》われてるって知らなかったの」

「夕霧は良い子だ。ガキどもを守ったんだ」

涼月が、そう言って夕霧の肩《かた》を抱《だ》いた。

「とても良い子だ。誰《だれ》も嫌いはしない」

陽炎が、夕霧の頰《ほお》の返り血を拭《ぬぐ》ってやった。

夕霧は、被弾《ひだん》した自分の体から血が流れ、白い着ぐるみの足が真っ赤に染まるのを見ながら、こくんとうなずいた。

「僕も遊園地にいたんだ。本当にすぐそばで。すごく興奮したよ」

青年＝シュテファンの上ずった声。

「彼女が男たちに撃《う》たれるのを見てドキドキしたんだ。怖《こわ》いっていうんじゃなくて。なんていうか……あの子が傷つくのを見ていると、それが全部、僕のためなんだっていう気持ちになるんだ。僕って……変なのかな」

「レーゲルメースィヒ反応だよ、シュテファン」

電話の向こうでトラクルおじさんが優《やさ》しく言った。

「調和を求める反応だ。暴力に対する適応。正常な心の反応《レアクツイオーン》だ。君はいわば一つ大人になったわけだ。自分に感情をもたらすものを支配する大人にね。君は自分と、そして彼女を支配しつつあるのさ。そんな君へのプレゼントは、もう開いたかね？」

「ううん」

シュテファンは机の上の、リボンで飾《かざ》られた箱を見つめた。

「ついさっき、電話が来るちょっと前に届いたんだ」

「では開けてごらん」

この上なく優しい声でトラクルおじさんは言った。

シュテファンは肩と耳で電話を挟《はさ》み、リボンをほどいた。手の平に載《の》せられるほどの箱の中から、心打たれる二つの品が現れた。

偉大《いだい》なる魔術《まじゅつ》の品。

ピカピカに磨《みが》かれた髑髏《どくろ》の記章――ナチス親衛隊の証《あか》し。

そしてデータディスク。それを見たシュテファンの胸は激しくときめいた。

「親衛隊《SS》の記章には例の装置が内蔵されている。以前のものに比べて遥《はる》かに小型で、威力《いりょく》は何倍も強い。もう一つのディスクには君が知りたがっていた、あの特甲児童のお嬢《フロイライン》さんに関する全てが入っている。児童局の個人ファイルよりも遥かに詳《くわ》しい情報がね」

「すごい！　本当にすごい！」

「大人になった君に、おめでとう《ブロージット》。君は人生の主人となった。そして君の求めるあの少女の主人に」

それを最後に電話が切れた。

シュテファンは電話を置き、改めて二つの品を見た。

何をすれば良いかは分かっていた。

夕霧を本当に自分のものにするための計画。準備は万全《ばんぜん》。

そしてこれが最後の準備になるのだ。

データディスクを端末《たんまつ》にセット——そしてシュテファンはそれを見た。

これまで知りたくても知るすべがなかった夕霧の過去を。

彼女が特甲《とっこう》児童となった、理由の全てを。

自分の人生の主人——彼女の主人として。

陸《ろく》

ミリオポリス第十九区《デープリング》——浄水場《じょうすい》=地下運河入り口。

MPB《エムペーベー》装甲車両小隊+広報部+テレビクルーが待機。

広報用に飾りつけられた装甲車の後部ドアが開き、衣裳《いしょう》に着替《きが》えた涼月が登場。

「なんっ——だこりゃぁ」

涼月=眉間《みけん》に深く刻まれた皺《しわ》。

白いフリフリ/エプロン/頭飾り/タイツ/上品なエナメル靴《ぐつ》。

「あーら、とっても良く似合っているわあ。今どき貴重な日本製《ヤパニシェ》よ」

千々石――焼けた頭髪《とうはつ》を綺麗《きれい》にカットした半モヒカン頭でくねくね近づいてくる。

「んなこた聞いてねーっつの」

涼月＝エプロンを窮屈《きゅうくつ》そうに引っ張る。

「どうやって着るのか悩《なや》んだぜ。何の衣裳だ、これ？」

「メイド服よ」

千々石＝当然のように即答《そくとう》。

「デンマークじゃゴスロリと並ぶ人気商品よ。アナタ知らないの？」

「小娘服《メイド》？　イギリスの子守女《こもり》かフランスの洗濯女の衣裳じゃねーの？」

「イギリスのお手伝いさん《メートヒエン》が元祖だな」

陽炎＝同じ衣裳をびしっと着こなし、装甲車から登場。

「近代において階級主義が幅《はば》を利《き》かせる格差社会で流行した職業だ。貧困層《ひんこん》の若い娘《むすめ》が低賃金で何でもしてくれる人《メートヒエン》として雇《やと》われた」

「なんか少女売春《メートヒエンハンデル》に聞こえるぜ」

「お下品ね」

千々石＝心外そうに眉《まゆ》をひそめて。

「若い娘《メイド》はもちろん、お嬢さん《マドモアゼル》や奥様《マダム》、そして聖母《マドンナ》まで、ＭＡで始まる女性の美称《びしょう》の全《すべ》てを投《とう》影《えい》するモノこそメイド服なの。ソノ証拠《しょうこ》に広報部で最も多く応募《おうぼ》があった衣裳でもあるわ」

「ウジ虫《マーデ》は投影しねーのか」

涼月＝半眼。

「確かに、ぜいたくな暮らしの象徴《しょうちょう》でもあるな、ウジ虫《マーデ》は」

陽炎＝珍《めずら》しく涼月に同意。

ズダン！　と装甲車のドアが開いて夕霧が登場――輝《かがや》かしい笑顔《えがお》。

「ホーンテッドマンションの衣裳ですよー♪　夕霧もディースニーラントに行ってみたいんです一♪」

「アメリカが戦争でぶっとんだら文化保全されるかもな」

涼月＝にやりと。

「カ・ン・ペ・キ」

千々石＝得意げ。

「アタシの見立て通りよ。さ、じきにゲストが来るわ。所定の位置で待機しててちょうだい。アタシはテレビ局の人たちと打ち合わせがあるの」

くねくね去る千々石――ちょうど浄水場に、ゲストの乗るベンツが到着《とうちゃく》。

中からシルクハットとロングコートの男――機械化された右腕《みぎうで》。

堅気《かたぎ》になった元マフィアの元締《もとじ》めが現れ、夕霧に向かって手を振《ふ》った。

「今日もよろしくな、同胞《どうほう》のお嬢《じょう》ちゃん」

「こんにちは《グリュス・ゴット》ー、スレーブンさん」

夕霧もにこにこ手を振り返す。

そこへ、車両小隊の小隊長が来て言った。

「走らせ甲斐《がい》のある、何とも素敵《すてき》な衣裳だな」

「おっちゃんも出動すんの？　地下に潜《もぐ》るんだろ？」

涼月＝呆《あき》れ顔。

「テレビ局の要望ってやつらしい」

小隊長＝おっちゃん――人の好《よ》さそうな笑み／ずんぐりとした頑丈《がんじょう》そうな体軀《たいく》／パレードなどで常に涼月らを乗せて装甲車《そうこうしゃ》を運転。

「馬鹿《ばか》げた仕事だが、市民の支持を取りつけなけりゃ、警察の車両とはいえろくに小銃《しょうじゅう》も搭載《とうさい》させてもらえんご時世だからな。仕方あるまい。タイヤが溝《みぞ》にはまっちまったときは、お前らの腕力《わんりょく》で、装甲車《くるま》を持ち上げてもらうさ」

「小隊長の腕でそれはないのでは？」

陽炎＝真面目《まじめ》に。

「おっちゃんは運転がとってもお上手なんですよー♪」

夕霧＝浮《う》き浮きステップ。

「嬉《うれ》しいねえ。どれ、期待に応《こた》えるとするか」

小隊長が部下たちを手招きし、追随《ついずい》する他《ほか》の車両ともども最終チェックを命じた。

間もなくカメラクルーを引き連れた千々石が、地下運河入り口にて全員を呼集。

装甲車の屋根に設置された台の上に、夕霧とスレーブンと千々石とクルーが搭乗《とうじょう》。

続いてもう一台に、涼月と陽炎と別のクルーを乗せて出発。

一行は闇《やみ》へと降りて行った。

撮影《さつえい》された画像。
夕霧とスレーブンが揺《ゆ》れる装甲車の上で台の柵《さく》につかまっている。
レポーター。『我々はついに組織犯罪の温床《おんしょう》である大地下道に踏《ふ》み込みました』
スレーブン。『懐《なつ》かしいねえ。この地下道ってのは都市の外にも続いてましてね。麻薬《まやく》を運んだり貯《た》め込んだりするにゃ絶好のルートなんですわ。今も若い連中がここを使ってるって情報《ネタ》が本当かどうか確かめるための、これは捜査《そうさ》協力ってわけですわな』
夕霧。『スレーブンさんは良い人ですよー。知ってることは何でも教えてくれるんです』

はっはっは――夕霧の肩《かた》を抱《だ》くスレーブン。

『そうせんと、この子に野菜みたいにぶった切られるぞって警察に脅《おど》されるんですわ』

千々石。『今もココには重火器で武装した凶悪《きょうあく》な犯罪者が潜伏《せんぷく》しているわ。今回のアタシたちの使命は、凶悪犯たちを倒《たお》し、都市の地下にはびこる悪を駆逐《くちく》するコトよ』

「闇で買ったチャチな拳銃《けんじゅう》がボロマシンガンしか持ってねー連中だっつの」

涼月＝前方をゆく装甲車の上の会話をモニターで認識《にんしき》。

「装甲車両と遊撃《ゆうげき》小隊だけで捜査と鎮圧《ちんあつ》が可能、かつテレビクルーの被害《ひがい》を出さずに済む敵として選んだんだろう。副長と広報部の考えそうなことだ」

陽炎＝冷静に解説。

「どーせなら副長も来いっつの。例の新車でな」

涼月＝意地悪そうな笑《え》み。

「夕霧に破壊《はかい》されて、あの車の人気が上がったらしい。それでメルセデス社が事故保険と修繕《しゅうぜん》費《ひ》を肩代わりしたそうだ。今後も副長が最前線に立つという条件で」

「じゃ、なんで今日はいないんだ？」

「別撮《べつど》りだ。昨日、同じ場所で撮影済みらしい。後で合成するんだろう」

「一日前に突入《とつにゅう》かよ。最前線すぎだっつの」

涼月＝衣裳《いしょう》の胸元《むなもと》から煙草《たばこ》を取り出す。

ジッポライターの刻印――〝さっさとやれ《A.S.A.P.》〟の言葉通り、カメラの前であるにもかかわらず、一本口にくわえて着火。

可憐《かれん》なメイドがワイルドに柵にもたれかかり、すぱ――っと一服する様子を、クルーがあまさず撮影。

陽炎＝パチンとガムを弾《はじ》かせて。

「ところで遊園地で発砲《はっぽう》した〝武装人質《ひとじち》〟たちの銃だが、耐熱《たいねつ》プラスチック製だったらしい。金属探知器はもちろん、X線すら透過《とうか》させる、ノーベル暗殺賞並みの一級品だそうだ。さらにその全《すべ》てがプリンチップ社のロゴ入りだった」

真顔になる涼月。

「その、何とか社が、あたしらを狙《ねら》った？」

「あるいは夕霧をな。敵がこちらのマスコミ戦略を逆手に取ったとするなら、当然、最初に標的にされる」

くわえ煙草の涼月が、静電気のように殺気を帯びる。

「お前が言ってた、何とか社の何とかってタコをぶっ殺したくなったぜ」

「プリンチップ社のリヒャルト・トラクルだ」

陽炎が訂正《ていせい》したとき、ふいに装甲車が停車した。

五十メートルほど先で先頭の装甲車が停車中。

モニター＝夕霧たちが地面へ降りて移動。

レポーター。『いよいよ犯罪者たちの居場所に到着《とうちゃく》です。緊張《きんちょう》が高まっています』

千々石。『危険な場所よ。気をつけて』

夕霧。『あ、スレーブンさんが銃を持ってますよ？　ご一緒《いっしょ》に悪を駆逐ですか？』

はっはっは——オートマチックの拳銃の安全装置を外すスレーブン。

『そうさ、お嬢《じょう》ちゃん。俺はあんたに、この腕《うで》と兄弟分をぶった切られて以来、悪夢を見続けててね。あんたの脳みそをぶっ飛ばさねえ限り悪夢は消えねえって、この、プラスチックの銃をくれたリヒャルトって野郎《やろう》に教えられたんだ。で、その通りだって、今、確信したわけさ』

一連の銃撃。

夕霧が素早《すばや》く横へ跳《と》び、流れ弾《だま》が千々石の顔をかすめ、レポーターの頭を吹《ふ》っ飛ばし、カメラマンを打ち倒した。

転がるカメラ——右耳を押さえて叫《さけ》ぶ千々石。

『耳が！　あたしの耳が！　芸術が！』

涼月と陽炎の乗る装甲車《そうこうしゃ》が急激にバック。

逆に、先頭の装甲車が猛然《もうぜん》と走り出し、千々石を助けに駆《か》け寄る夕霧に眩《まばゆ》いヘッドライトを浴びせ、真っ向から撥《は》ね飛ばしていた。

涼月の脳の視覚野で、〈仲間に打撃が与えられた《コレーグ・シュラーク・エアライデン》〉ことを示すKSEの文字が明滅《めいめつ》した。

「夕霧ーっ！」

涼月の叫び──陽炎とともに跳躍《ちょうやく》。

二人とも一瞬《いっしゅん》で機甲化。

装甲車が急停止──屋根から転がり落ちるクルーたち。

そして装甲車のドアが開かれ、武装した数名の隊員が、素早くクルーたちを射殺するとともに、涼月たちへ銃撃を開始していた。

脇道《わきみち》へ飛び込む涼月──怒鳴《どな》り散らす。

「くそっ、いったいどうなってんだ!? なんで、おっちゃんの部下が撃《う》ってきた!?」

別の脇道へ飛び退《の》く陽炎──いつもの冷静さをかなぐり捨てた叫びがその口から迸《ほとばし》る。

「罠《わな》だ！　夕霧が危ない！」

数百メートルほど先で、ぱっと輝《かがや》きが発生。

陽炎の視線の先――猛火《もうか》を噴《ふ》く何かが飛来。

「RPG!?」

陽炎――即応《そくおう》＝精密射撃《しゃげき》＝弾丸《だんがん》がロケット弾を撃ち貫《ぬ》いた。

炸裂《さくれつ》。

火炎《かえん》と爆風《ばくふう》が狭《せま》い下水道に吹き荒《あ》れ、天井《てんじょう》が崩落《ほうらく》。

その轟《とどろ》きの向こうから、巨大《きょだい》な改造サイボーグの男に率いられた、新たな武装集団がずらりと登場。

サイボーグ野郎の雄叫《おたけ》び。

「ラジオ局で主義に殉《じゅん》じた同胞《どうほう》たちと、真っ二つにされた弟のルドルフの仇《かたき》だ！　赤帽派の名にかけて、似非《えせ》憲兵の犬どもを八つ裂《ざ》きにしてマスコミに流してやる！」

スレーブンが最初の銃火《じゅうか》を上げた地点から二百メートル先の交差通路にて。

重火器を手にした男たちが四方からわらわらと出現――薄暗《うすぐら》い蛍光灯《けいこうとう》の下で集結。

「ボス！　やりましたか!?」

「いいや。まだだぜ野郎ども」

スレーブン＝両手に自動小銃——くわえた葉巻を突《つ》き出し、手下に火をつけさせ、濛々《もうもう》と煙《けむり》を吐《は》き出す。

「車に撥ねられたくせに、平気なつらして走って逃《に》げちまいやがった。化け物のガキめ。たっぷり鉛玉《なまりだまく》を食らわせて動けねえようにしな。手足を切り落として、生きたまま犬の餌《えさ》にしてやろうや」

「後方車両より報告。特甲児童二名が東西に散開。残り一名を当車両の音響探知《おんきょう》にて捕捉《ほそく》、一キロ圏内《けんない》を移動中です」

装甲車の助手席——部下の報告。

おっちゃんこと車両小隊・小隊長は、暗い地下道を走る装甲車のハンドルを素早くさばきながら、唸《うな》るように言った。

「副長め。俺たちがここの麻薬《まやく》売買で小銭を稼《かせ》いでいたことを知って、この場所を選んだのかもしれん。良い機会だ。俺たちの装甲車《くるま》を更衣室《こういしつ》やお立ち台代わりにしやがる小娘《こむすめ》どもを、素《す》っ裸《ぱだか》にして轢《ひ》き殺してやるさ」

「アタシの耳！　アタシの耳はどこ⁉」

最初の銃火の地点——這《は》いつくばる千々石。

その目の前に、ふいにピカピカに磨《みが》かれた靴《くつ》が出現。

「おじさん、そこのカメラを持ってよ」

「おじさんと呼ばないで！　アタシは永遠の二十五歳——」

顔を上げた千々石＝絶句。

まごうことなきナチスSS少尉《しょうい》の衣裳《いしょう》。

まびさしを傾《かたむ》けた帽子《ぼうし》には輝くような髑髏《どくろ》の記章。

右手に大砲《たいほう》のような馬鹿《ばか》でかいルガー拳銃《けんじゅう》を構え、シュテファンは言った。

「早く、おじさん。そのカメラで僕と彼女を映すんだよ」

漆《しち》

ふいに闇《やみ》が訪《おとず》れた。

地下道に設置されていた僅《わず》かな照明が突然《とつぜん》、全《すべ》て断《た》たれたのだ。

ＲＰＧ炸裂地点から南に半キロの位置にて——

文字通りの地の底の暗黒に包まれた赤帽派の武装グループは、いささかも動じず、サイボーグ野郎《やろう》以下、全員が暗視ゴーグルを着用。

プリンチップ社と名乗る支援《しえん》組織からの贈《おく》り物であるそれによって、歩調を乱さず夕霧を追撃する彼らの一人が、ふと、キラキラと光る線を見た。その細い光は天井に突き刺《さ》さった一本の杭《くい》から伸《の》びており、彼が接近するや、まるで意志ある生き物のように体に絡《から》みついてきた。

そして、それがピアノの弦《げん》のように、ぴーんと張りつめるのを見たとき、彼の首は胴体《どうたい》との永遠の別れを告げていた。

「なんだ⁉」

激しい血しぶきをもろに浴びた者が、慌《あわ》てて銃を構えた——と見るや、その銃身が鮮《あざ》やかな金属音とともに、持ち主の上半身ごと、斜《なな》めにずれ、崩落した。

「犬め！　どこにいる！」

サイボーグ野郎が、叫《さけ》びを上げて、闇に向かって乱射した。

武装グループに最初の死者が出た地点から、なんと、一キロ以上も離《はな》れた地点にて。

「撃《う》て！　撃ちまくれ！」

スレーブンの怒号《どごう》——手下たちともども暗視ゴーグルを装備＝プリンチップ社製。

跳弾などまるで気にせず、めくるめく銃火の雨を四方へ降り注がせる。

だが誰《だれ》一人として夕霧の位置をつかめず、闇の中を、さっと何かが疾《はし》るや、誰《だれ》かの首が飛び、手足が切断され、はらわたを地面に零《こぼ》していた。

それでいて闇を移動するのが夕霧なのか、張り巡《めぐ》らされたワイヤーの輝《かがや》きに過ぎないのかも不明。気づけば、ワイヤーで操《あやつ》られた仲間の死体を撃ちまくっていたことに、愕然《がくぜん》となるといった有様だった。

「どこだ！」スレーブンの絶叫《ぜっきょう》。「いったい、どっから来やがる！　どこにいやがる！」

「複数箇所《かしょ》で銃撃戦《じゅうげきせん》が発生。後続班がロケット弾《だん》の使用を確認《かくにん》」

助手席の部下がきびきびと報告。

「どうやら、例の元マフィア以外にも別勢力がいるようだな」

小隊長ことおっちゃんの呟《つぶや》き――直後、**ドタン！**　とフロントガラスに何かがへばりついた。

小隊長も部下も唖然《あぜん》となってそれを見た。

あちこち引き裂《さ》かれたフリフリの衣裳を血に染めた少女が、四つん這《ば》いでフロントガラスに張りついている。悲しみも喜びも通り越《こ》してしまったような冷たい静寂《せいじゃく》に満ちた虚無《きょむ》の表情／キラキラ光る青い目をいっぱいに見開き、頬《ほお》に浴びた返り血を拭《ぬぐ》いもせず、ただ大きく開いた口から、調子っ外れな歌を迸《ほとばし》らせている。

「ああーあー♪　あーああーあー♪」

かと思うとその姿が一瞬《いっしゅん》で消え、ついで、ヘッドライトが、すぐ先に立ちはだかる壁《かべ》を照らし出した。

小隊長――慌ててブレーキ／ハンドルさばき／車体を横へ滑《すべ》らせた。

装甲《そうこう》が壁を抉《えぐ》りながらＬターン――横道へ／激突を免《まぬか》れた装甲車が急停止。

「後続班に連絡《れんらく》！　やつがいた！」

小隊長の叫び――だが部下は前を見たまま凍《こお》りついたように動かない。

「おい！　しっかりしろ！」

部下の肩《かた》に手をかけ、正気に返らせようとしたとき、フロントガラスに細い線が走った。

バキン！　と切断されたガラス片《へん》が部下の膝《ひざ》の上に落ちた。

さらにその上に、切断された部下の首が、ころりと取れて落ち、小隊長は温かい血のシャワーでずぶ濡《ぬ》れになった。

敵の包囲を避《さ》けるため、ほとんど無意識に電力を切断し、自ら暗闇《くらやみ》を招いた夕霧は、その特甲を最大発揮させ、杭打ち機《パイル・バンカー》の杭《くい》とワイヤーであらゆる形状の罠《わな》を仕掛《しか》けながら、地下道を縦《じゅう》横無尽《おうむじん》に駆《か》け抜《ぬ》けていった。

今や、赤帽派十七名・スレーブン一派十二名・車両小隊総勢十名——計三十九名が、夕霧ただ一人を追撃中。だが、全長十数キロにもおよぶワイヤーの巧緻《こうち》な罠が、地蜘蛛《じぐも》の巣さながらに彼らを翻弄《ほんろう》——着実に、死者の数が生者の数を凌駕《りょうが》していった。

そうして、さらに深い地底へ降り、敵をおびき寄せるうち、夕霧は、いつしか心にも闇が満ちるのを感じていた。

「あーあーあーあー♪」

口は得体の知れないメロディーを発し、全身が複雑なリズムを刻むが、言葉は生まれず、どんな歌も降りてはこなかった。

「ああーあーあーああーあ♪」

夕霧はママのことを思った。

自分の体がまだ痛みを感じていた頃《ころ》の気持ちを思い出そうとした。

だが銃撃を受けて血を零す胴《どう》も背も、装甲車に撥《は》ねられたときに砕《くだ》けた肋《あばら》も、何も感じなかった。声はどんどん幼くなり、目はキラキラと輝き、冷たい虚無に染まってゆく夕霧の心の奥底で、音楽の神様が、死に神の顔をして笑っていた。

ふらふらと危なっかしく揺《ゆ》れながら走る後続の装甲車——運転手＝涙目《なみだめ》。

その隣《となり》には、助手席のドアごと両断された隊員の死体。開きっぱなしの後部ドアから、バラバラになった隊員の手足が、一つまた一つと転がり落ちてゆく。

突然《とつぜん》、ヘッドライトの灯《あか》りの中に人影《ひとかげ》――運転手は悲鳴を上げてアクセルを踏《ふ》んだ。と同時に、走り込んできた涼月の右フックがバンパー横に命中――装甲車が宙を斜《なな》めに進んで横転。

「うわっ！　うわぁっ！」

運転手＝仲間の死体に抱《だ》きつかれてパニック。

フロントガラスが殴《なぐ》り壊《こわ》され、外へ引きずり出された。

「夕霧はどこだ！」涼月の怒声《どせい》。

「こっ、殺してやる！　貴様ら全員――」

涼月は、相手を死なない程度にひっぱたいて黙《だま》らせた。

「殺されんのはてめーらだ。ついでに、あたしらもだ。真っ暗闇の中での殺し合いは、あいつをおかしくさせるんだ。あいつが、敵も味方も分からなくなって動くもんを片っ端《ぱし》からぶった斬《ぎ》り始める前に、さっさと居場所を教えろ」

真顔で脅《おど》しつける涼月――その脳裏《のうり》に甦《よみがえ》る、夕霧の経歴。

いつか、小隊長に任命された際に、副長から渡《わた》された、〝隊員たち〟のファイル。

夕霧が機械化された理由。

彼女の母親が、そうさせたのだということを。

十四年前――一人の女性ダンサーが、ミリオポリスの街角で死のうかどうか考えていた。

手には護身用の拳銃《けんじゅう》。最後に残った二十《に》ユーロ。僅《わず》かな着替《きが》え。化粧品《けしょうひん》とバッグ。

それが、ヒモだった男に全財産を持ち逃げされた彼女の全《すべ》てだった。

だが彼女は間もなく、それ以上のものを授《さず》けられていたことを悟《さと》った。その胎内《たいない》に、子供を身ごもっていたのだ。

彼女は死ぬのをやめ、児童福祉局《ふくし》に足を運んだ。

少子化が社会問題となったミリオポリスでは、妊娠《にんしん》した女性に助成金が支払《しはら》われ、住居等が優遇《ゆうぐう》されていた。さらに文化委託《いたく》された漢字名《キャラクター》を子供につければ、毎月の保障費が与《あた》えられる。

かくして彼女は、自分を死と絶望と貧窮《ひんきゅう》の底から救ってくれた子供を、夕霧・クニグンデ・モレンツと名づけた。

二年後。

かつて劇団員を目指して大都市にやって来た彼女は、一児のシングルマザーとなり、腹部の妊娠線を消すのに四十ユーロ支払い、ストリッパーとして働き、やがて市の公営娼婦《しょうふ》として登録し、生活の糧《かて》を得た。

さらに数年後。

それでも彼女は相変わらず極貧《ごくひん》だった。

ユダヤ人差別で虐《しいた》げられ、ありとあらゆる女性差別を受けながら稼《かせ》いだ金も、娘《むすめ》の養育費と生活費だけで消えていった。

だが、過去に死の淵《ふち》で光明を得た彼女の精神はたやすく砕けはしなかった。

彼女は娘に歌うことを教え、踊《おど》ることを教え、最悪の気分に陥《おちい》ったときに笑うすべを教えた。

悪ふざけ《オイレンシユピーゲル》——母と娘の生活——絆《きずな》。

たとえ家賃が支払えず、路上に放《ほう》り出され、暗い路地裏で小さなパンを分け合ったとしても、世界を愛《いと》しく思える全てが失われていい理由は、この地上において、過去も現在も未来も、決して存在しないのだ。

そして娘の六歳の誕生日。

彼女が仕事に出ている間、寂《さび》しくて仕方ない娘にプレゼント。

ストリップバーで麻薬《まやく》取引に使われた、使い捨ての携帯《けいたい》電話。

どこにも接続されないその電話に話しかければ、ママにだけはちゃんと声が伝わるのだと言って。

娘は、それを生涯《しょうがい》の宝物とした。

娘が八歳のとき——彼女には何もなかった。

かつての若さも美しさも気力も失い、ストリッパーをクビになり、どの最低賃金の職場でも雇《やと》ってもらえず、一片《いっぺん》のプライドさえも全てすり切れ、使い果たし、ボロ屑《くず》のようになりながら街角に立って客を取り、ただ娘との生活のために働き続けた。

そんな彼女を、ある男が客として買った。その男は麻薬でハイになったかと思うと、彼女を痛めつけ、手足を縛《しば》り、自分は娼婦や浮浪者《ふろうしゃ》や汚《けが》らわしい非ドイツ民族どもを粛清《しゅくせい》して回っているのだと告げた。

そして、男がこれまでに殺した男女について、とくとくと説明している間に、彼女は死に物狂《ぐる》いで束縛《そくばく》を振《ふ》りほどき、それまで一度たりと使ったことのなかった護身用の銃で、男を撃《う》ち殺した。

彼女は決して愚《おろ》かではなかった。大都市で最低の境遇《きょうぐう》を強《し》いられながらも幼い娘とともに生き延びた、機転の利《き》く、タフな女性だった。

男の持ち物を奪《うば》い、死体を下水道に捨て、あらゆる証拠《しょうこ》を消しにかかった。

連続殺人鬼《さつじんき》は忽然《こつぜん》と消息を断《た》った。

彼女は男の麻薬を金に換《か》え、財布《さいふ》から家の鍵《かぎ》と運転免許証《めんきょしょう》を見つけた。

そして男のアパートに堂々と入り、金品を全て持ち出した。

その一連の行為《こうい》が、彼女の中の何かを砕《くだ》いた。

何かを芽生えさせ、啓示《けいじ》を与えた。

それから少なくとも一年以内に、彼女は、自分を買った五人の男を殺し、金品を奪い、娘との生活に充《あ》てている。

そのときの彼女の夢――娘を学校に行かせられるかもしれないと思いながら。

だが最後に殺した男が、全てを狂わせ、彼女に咎《とが》をもたらした。

その男は、最初に殺した男と似たり寄ったりの相手だった。

麻薬の常用者／右翼《うよく》的／暴力的／排他《はいた》的／差別的――娼婦を人間以下の虫けらとしかみなさない人物。

だが、一点だけ、決定的に違《ちが》った。

男は警官だった。

それも、麻薬取引で上前をはねるたぐいの筋金入りの悪徳警官だったのだ。

殺した後で、彼女はそのことを知り、かつてない絶望の淵に立たされた。

警察は何としてでも同僚《どうりょう》の死の理由を突《つ》き止めにかかるだろう。

またそれ以上に、麻薬売買の人間たちは、男の不正を必死に隠《かく》さねば、自分たちの商売が危《あや》うくなるだろう。

彼女に残されたもの——二つの選択肢《せんたくし》。

警察に捕《つか》まり、警官殺しおよび連続殺人の罪で死刑囚《しけいしゅう》となるか。

それとも麻薬の売人たちに殺されるか。

いずれにせよ、残された娘を待っているのは最悪の未来だ。

売人たちの口封《くちふう》じに殺されるか、人身売買の商品になるか、闇《やみ》の養子斡旋所《あっせんじょ》に売られるか、運が良くても天涯孤独《てんがいこどく》の身となって、自分と同じような人生を歩むしかなくなるだろう。

だが彼女は、それ以外の、さらに過酷《かこく》な第三の道を選択《せんたく》した。

児童福祉《ふくし》局に行って娘の障害児童登録書を作成すると、その書類を娘の衣服に忍《しの》ばせた。

そして、かねて彼女が娘に教えていたことを実行した。

彼女は、よく娘《むすめ》にこう語っていた。人は、きっと本当は飛べるのだと。

翼《つばさ》も、機械も、何の仕組みもないまま、本当に心の底から飛べると信じることが出来たとき、綺麗な青色に満ちた空の国にいる神様が、その人に、飛ぶことを思い出させてくれるのだ。

それは、どん底にあって彼女が失わず持ち続け、またすがり続けたはかない夢であり信仰《しんこう》であり、歌とともに娘に受け継《つ》がせたものだ。

かくして。

彼女は娘とともに、福祉局から目と鼻の先のビルの屋上に立った。

「一緒《いっしょ》にお空の国へ行きましょう」

彼女は娘を強く抱《だ》きしめた。

「夕霧は、きっと飛べるって信じることが出来る？」

娘は心の底からその信仰を肯定《こうてい》した。

彼女に言われるまま、青空へ向かって身を投げた。

彼女が自分の後を追ってきてくれるものと信じ切って――

だがそのビルは、同様の「捨て子」を出すことで知られる場所だった。

貧窮《ひんきゅう》した親が、子供の肉体をあえて破壊《はかい》し、児童福祉局に委《ゆだ》ねることで、機械化児童として市の所有物とさせるのだ。

自分たちが与《あた》えてやれなかった未来が、我が子にもたらされることを期待して。

彼女の選択――娘は落下し、虫の息となり、児童福祉局の〈子供工場《キンダーヴェルク》〉と渾名《あだな》される施設《しせつ》で機械化され、所持していた書類に従い、労働児童育成コースに入れられた。

そこでは強力な画一化のもと、児童の出自は厳密に封印される。

たとえ警官や売人が彼女を捕《と》らえ、娘がいることを知ったとしても、その娘がどこにいるのかも分からないだろう。

娘が彼女の信仰を体現したその日——彼女はそれまで何人もの命を奪った拳銃《けんじゅう》を手に、街のどこかへ消えた。

殺されたか、生き延びて今も街にいるのか、それとも街から逃《に》げたか——

一切《いっさい》不明のまま、ただその娘だけが、彼女は空へ迎《むか》えられたのだと信じ続けた。

捌《はち》

「し、死んでる、みんな死んでるわぁっ！」

千々石＝吹《ふ》っ飛んだ耳から血を流しながら、無理やりテレビカメラを担《かつ》がされ、地下道の修《しゅ》羅場《らば》を撮影《さつえい》しながら前進。

その背後で銃をつきつけるシュテファン——興奮で強《こわ》ばった笑《え》み。

床《ゆか》に転がる死体——もはやどれが誰《だれ》のものであったかも判然としない人体の断片《だんぺん》。

「あ、あそこに誰かいるわ！　生存者よ！」

律儀《りちぎ》にカメラを向ける千々石。

血まみれの巨体《きょたい》サイボーグが、銃口をかざし、よろよろと歩いてきた。

千々石の悲鳴。

シュテファンがさっとルガー拳銃の狙《ねら》いをつける。

サイボーグは足を止め、がくっと膝《ひざ》をついた。

「ドイツ民族の主張……」

前のめりに倒《たお》れるサイボーグの頭が・首が・胸が・腕《うで》が、真横に線を走らせ、積み重ねられた皿のようにざあっと崩《くず》れ落ち、CTスキャンでしか見たことがないような断面図を次々に披《ひ》露《ろう》しながら倒れた。

千々石は気絶＝カメラを落とす／くずおれる。

シュテファンは転がったカメラを拾い、レンズが無事なのを確かめながら、自分が怖《こわ》がっているのか楽しんでいるのかも分からなくなっていた。

心臓が早鐘《はやがね》を打ち、熱い血が全身を駆《か》け巡《めぐ》り、股間《こかん》が痛いほど充血《じゅうけつ》しているのを感じた。

レーゲルメースィヒ反応だ。

ぞくぞくしながらそう思った。

正常な反応。暴力との調和。

かつて打撃《だげき》を負った心のなれの果て。

きっと君も同じ心の反応《レアクツィオーン》を示しているんじゃないのか？

この暗闇《くらやみ》こそ、自分の心の底に隠《かく》された、本当の領土であることを。

そこでなら、君も僕も世界の主人になれることを。

君は知っているんじゃないのか？

シュテファンは自らカメラを担ぎ、暗視ゴーグルの位置を調整すると、一方の手にルガー拳銃を握《にぎ》りしめ、暗闇へと歩んだ。

死体を映して回りながら、ホトラクルおじさんから送られてきたデータスティックの中身を思い出していた。

夕霧とその母親の、幸せと悲劇に彩《いろど》られた十年間。

同じなんだ、とシュテファンは思った。

自分があの子に惹《ひ》かれたのは必然だったのだ。

十年以上も前——十代の半ばのとき。

シュテファンは異様な病気に襲《おそ》われたことがあった。

目が落ちくぼみ、肌《はだ》は死人のようになり、嘔吐《おうと》感が一日中消えなかった。

その異変を最初に察したのは叔父《おじ》だった。

叔父は、シュテファンの身に現れたのが砒素《ひそ》中毒の症状《しょうじょう》であり、その毒を与《あた》えているのが母であることを突《つ》き止めたのだ。

母は父の死後、有り余る財産とともに次々に愛人を作り続けた。やがてその一人と、子供を殺して保険金をせしめ、その金で挙式することを共謀《きょうぼう》した。

「お前はアブラハムの子だ」

叔父は少年だったシュテファンにそう言った。

ルター派の牧師というより、まるで父親のように。

「誰かが生贄《いけにえ》の儀式《ぎしき》を止めねばならん」

シュテファンとの間で、奇妙《きみょう》な暗黙《あんもく》の友情を育《はぐく》んでいた叔父は、癌《がん》に冒《おか》された自分が余命幾《よめいいく》ばくもないことを悟《さと》った上で、最も単純な方法を用いて、友情の尊さを証明した。

叔父の行動。

シュテファンを家から連れ出して入院させた／すぐさま母とその愛人を殺した／死体を車に乗せた／事故に見せかけて焼却《しょうきゃく》。

そして、宝物であるナチスの制服をシュテファン宛《あ》てに送付。

大量の睡眠剤《すいみんざい》を服用——永遠の眠《ねむ》りへ。

ひどく無造作で暴力的で一方的な善意に満ちた救済。

病院から戻《もど》ったシュテファンは、その制服を手に取った瞬間《しゅんかん》、叔父が何をしたのかを全《すべ》て悟った。

自分が殺されかけ、救われたことを。

それ以来、シュテファンの中で何かが壊《こわ》れた。

学校にも友達にも興味が持てず、常にナチスの制服に身を包んだ叔父と自分を夢想し、成績は下り坂を転げ落ち、世界が遠く離《はな》れ、やがて高校を卒業すると、後には遺産と時間と孤独《こどく》だけが残されていた。

僕らはアブラハムの子だ。

暗闇のどこかにいる夕霧に向かってシュテファンはささやいた。

親によって捧《ささ》げられた存在。

生き延びる代わりに心の中の大事な何かを失い、神様によって試練を運命づけられた子供。

世界を愛するすべを失わないために、調和と報復を求め続ける、闇の住人。

シュテファンは興奮の笑《え》みを浮《う》かべながら、テレビカメラとルガー拳銃《けんじゅう》を手に、暗がりへと歩んでいった。

陽炎——疾走《しっそう》。

右腕《みぎうで》と一体化したライフルをいつでも撃《う》てるよう構えながら暗闇を移動——やがて彼方《かなた》に灯《あか》りを発見。

地下道の真ん中で停車した装甲車《そうこうしゃ》——その屋根をひとっ飛びに。

着地。

振《ふ》り返りざま防弾《ぼうだん》ガラスを打ち砕《くだ》く勢いでライフルを突き出し、動きを止めた。

「小隊長……」

陽炎の声――小隊長の虚《うつ》ろな目がこちらを向いた。

バラバラに切断されたフロントガラス。

助手席――首のない男が通信マイクを握りしめている。

小隊長の引きつった笑い。

「タイヤじゃなくて、てめえが溝《みぞ》にはまっちまった」

その顔が、ずるっと斜《なな》めにずれた。

ずんぐりと逞《たくま》しい上半身が、握ったハンドルごと、断片《だんぺん》と化して崩《くず》れ落ちる。

陽炎は、装甲車に背を向けて進み――ふいに全力でその足を止めた。

キラキラと弧《こ》を描《えが》いて輝《かがや》くワイヤーが、ぴーんと幾つも張りつめ、咄嗟《とっさ》に頭部を庇《かば》った陽炎の左手首を、音もなく切断していた。

《夕霧の領域だ。私では進めない》

そろそろとワイヤーの網《あみ》から後退しつつ無線通信《いぬぶえ》。

《あたしの後を追いな》

別の通路で涼月が応答。

壁《かべ》を震《ふる》わせる地響《じひび》き＝涼月がワイヤーの罠《わな》ごと壁や天井《てんじょう》を拳《こぶし》で粉砕《ふんさい》――そして叫《さけ》び。

「夕霧ーっ！　返事しろっ、夕霧ーっ！」


「あーあーあー♪　あーあーあー♪」

闇を、夕霧が虚ろな顔で歩いてゆく。

杭打ち機《パイル・バンカー》は全て使い尽《つ》くし、ワイヤーの残存も少なく、機甲には亀裂《きれつ》が走り、あまりに地下深くに潜《もぐ》ったため転送に支障が生じ、武器や手足の交換《こうかん》さえ覚束《おぼつか》ない。

体中から自分のものとも誰《だれ》のものともつかぬ血の雫《しずく》がしたたり、頭の片隅《かたすみ》で何発の弾丸を食《く》らったか数えていた。

五発か六発？　いや、狭《せま》い通路で避《よ》けきれず、背中だけで十発以上は撃たれたに違《ちが》いなかった。機甲がこれほど破損しているということは、何十発も撃ち込まれたのだ。

悪意を。お前を嫌《きら》っているという気持ちの塊《かたまり》を。

「あああー♪　あああーあああー♪」

汚水《おすい》に膝《ひざ》までつかり、嫌《いや》な臭《にお》いのする真っ黒な水をかき分け、やっとコンクリートの地面に辿《たど》り着き、そこに片方の足を乗せたとき、すぐそばで、ゆらっと水面《みなも》が揺《ゆ》らいだ。

夕霧が、さっと振り返って左手を払《はら》った。

水しぶき——ぬっと現れた泥《どろ》まみれの男＝スレーブン。

両手の銃の引き金を引きながら絶叫《ぜっきょう》。

「手下を全部殺しやがって！　てめえがこの世にいることが悪夢だ！」

銃撃《じゅうげき》——その反動で、既《すで》にワイヤーが存分に通り抜《ぬ》けていたスレーブンの上半身がX字に切断され、頭と両腕と下半身が別々の方へ舞《ま》い、弾丸の掃射《そうしゃ》を受けた夕霧が、コンクリートの地面に転がり倒《たお》れた。

「あーあーあー♪　あーあーあー♪」

よろよろと起き上がりかけ、ふと、通路の先で、ナチスの制服を着た男が、テレビカメラを向けているのを見て、反射的に右手を払った。

「やっと会えたね」

シュテファンの微笑《びしょう》。

一瞬《いっしゅん》前に、夕霧の右手から放射された輝きが迫《せま》った——が、突如《とつじょ》としてシュテファンの周囲の空気が帯電したように火花を帯びるや、ワイヤーを液状に戻《もど》し、霧散《むさん》させてしまった。

「駄目《だめ》だよ。ほら、この帽子《ぼうし》の髑髏《どくろ》を見てごらん。君の力を消してしまう装置。僕が君を支配しているっていう証拠《しょうこ》だよ」

カメラを夕霧に向けながら歩み寄った。

「ねえ、ご主人様って言ってよ」

凄《すさ》まじい**銃声**——特大のルガー拳銃——その一撃。

左肩《ひだりかた》の機甲が割れ砕け、夕霧が地面に叩《たた》きつけられるようにして倒れた。

「凄《すご》いよ。ほとんど無反動なんだ、この銃。訓練しなくても撃てるんだ。これで僕も歌える。君に歌って聞かせてあげるよ」

彼女のすぐそばにまで来て、カメラのフレームに相手を収めながら、声をあげた。

「アップラハムのぉ、子らは七人っ♪」

銃声——夕霧の右の二の腕が木《こ》っ端微塵《ぱみじん》に砕け、血と白銀の液状金属を噴《ふ》き出した。

「ひっとりは、ひょろ長、あとはずんぐり♪」

銃声——夕霧の左腕《ひだりうで》が肩からもげた。

「みーんな仲良し嬉しいな♪」

両腕を失い、うつ伏《ぶ》せになって這《は》う夕霧の左脚《ひだりあし》の付け根に、銃口を押し当て、撃った。

夕霧の左脚が千切れ跳《と》んで腰《こし》から離《はな》れ、地面を転がった。

「さあー歌いましょう♪」

暗闇《くらやみ》を走る涼月／陽炎――二人の脳の視覚野で閃《ひらめ》く文字。

〈仲間に打撃が与えられた《コレーグ・シュラーク・エアライデン》〉ことを示すKSE――さらにそれが〈深刻な打撃《エルンスト》〉を意味するKSE－Eに。

涼月の叫び。

《夕霧ーっ!! 返事しろ、夕霧ーっ!!》

焦燥《しょうそう》――暗闇のどこかから響《ひび》いてくる銃撃の音。

電波を阻害《そがい》する地下道のコンクリート／車両小隊のバックアップを喪失《そうしつ》／本部との連携《れんけい》に支障――さらに夕霧自身が通信途絶《とぜつ》したことから、互《たが》いの位置を知らせ合うナビゲーション機能が機能せず。

涼月と陽炎が相互《そうご》に戦闘《せんとう》の痕跡《こんせき》を報告――夕霧の居場所を割り出そうと疾走《しっそう》／迷走《めいそう》。

ふいに下階へ向かうトンネルを走り下りる陽炎が、音響探査《おんきょう》によって、移動する車両を確認《かくにん》。

下階＝ゆっくりと走る車両――にわかに停車。

ついで大勢の足音の反響を探知。

足を止めず、走り続けながら、車両の形状を精査。

軽い驚《おどろ》き――ＭＰＢ《エムペーペー》の装甲車両《そうこう》。

疑念――先ほど、装甲車両の一台を発見／残り一台は涼月が破壊《はかい》。

三台目の車両——新たな勢力の到来《とうらい》？

陽炎は、切断されるも地下深く潜《もぐ》り過ぎたために〈転送〉に支障をきたし、中途半端《はんぱ》に復元された左手を、右腕と一体化したライフルに添《そ》えた。

下階へ到達《とうたつ》＝右手十五メートル先に停車した装甲車両。

素早《すばや》く腰を落とす／完璧《かんぺき》な掃射姿勢——複数の探査装置がターゲットをとらえた。

そのとき。

「おっと。撃《う》つなよ、スナイパー《シャルフシュッツェ》」

野太い男の声——その不敵な笑《え》み。

反射的に声の主にスコープを向けた陽炎＝瞠目《どうもく》／困惑《こんわく》。

「ミハエル中隊長……」

大柄《おおがら》の男に、思わず身をすくめる陽炎。

「お前さんがたの位置は、こいつで把握《はあく》している。犯罪者どもが勝手に工事したトンネルや隠《かく》し部屋の構造もインプット済みだ」

ミハエルが装甲車両のリア部を叩く——その屋根の上で複数の探査装置が稼働《かどう》中。

その間にもミハエルの部下たちが素早く移動を開始している。

陽炎の脳裏《のうり》で咄嗟《とっさ》に閃く解答。

副長――一日前に出撃《しゅつげき》＝部隊による地下道の測定／把握。
そして中隊を事前に配置――敵の罠《わな》の先読み。
ミハエルは言った。
「テロリストどもとマフィアの連中の生き残りは、別部隊が全員逮捕《たいほ》した。さあ、大急ぎでお前さんの仲間を助けるぞ。冥府の番犬《ケルベルス》の頭は三つと相場が決まっている。三匹《さんびき》の犬を意味する〈猋《ケルベルス》〉の漢字《キャラクター》が一つ欠けるなんて光景は俺も見たかないからな」

玖《く》

四肢《しし》の半分以上を失い、声もなくうずくまる夕霧を、じっくりとカメラで撮影《さつえい》しながら、シュテファンは、ふと、千切れた**脚**に気持ちが引き寄せられていた。

半ば機甲化した夕霧の左脚部――

まるで銀色の滑《なめ》らかなブーツを履《は》いたような、見事なラインの**脚**。

機甲とすべすべした真っ白い太腿《ふともも》の絶妙《ぜつみょう》なコントラスト。

血と泥《どろ》でほどよく汚《よご》れた上品なエナメル靴《ぐつ》。

それらが芸術品のように暗視ゴーグル越《ご》しにシュテファンの目を打った。

ドキドキと胸が高鳴り、銃《じゅう》を腰のホルスターにいったんしまった。

歩み寄って膝《ひざ》を屈《かが》め、うっとりとそれを撫《な》で、持ち上げ、頬《ほお》に当て、存分に感触《かんしょく》を味わおうとして――

それが、何の温《ぬく》もりもない、精巧《せいこう》な機械と有機物質の合成品であることを悟《さと》り、

「……なんだ、偽物《にせもの》じゃんか」

思わず、口に出して呟《つぶや》いていた。

そのとき突然《とつぜん》、手にしたものの足首を、何かが物凄《ものすご》い力でつかんだ。

正確には、口で銜《くわ》えていた。

夕霧が、一本だけ残った右脚《みぎあし》で膝立ちになり、千切れた己《おのれ》の足首を噛《か》みしめ、体をひねってそれをもぎ取るや、呆気《あっけ》に取られるシュテファン目掛《めが》け、全身の力で振《ふ》り下ろしたのだ。

それの膝頭《ひざがしら》が、シュテファンの鼻骨《びこつ》を粉砕《ふんさい》した。

「ぎゃっ！」

悲鳴――カメラが転がり落ちた。

ひっくり返ったシュテファンが、痛みに悶《もだ》えながら慌《あわ》てて腰のルガー拳銃《けんじゅう》をまさぐる。

だがそのグリップを握《にぎ》るよりも遥《はる》かに早く。

夕霧が、凄《すさ》まじい勢いで、それを振るっていた。

シュテファンの右の鎖骨《さこつ》が折れ砕《くだ》け、銃を握りかけた手が痺《しび》れて動かなくなった。

くわえた足首と、夕霧の唇《くちびる》の狭間《はざま》から、にわかに零《こぼ》れ出す、こもったような唸《うな》り——

歌声。

「うぐうぐうぅー♪」

夕霧は、右脚の膝と足先だけで絶妙なバランスを保ち、

「うぐぅー♪　うーぐうぅーうぐー♪」

倒《たお》れたシュテファンへと、立て続けにそれを振り下ろしながら、ようやく訪《おとず》れた歌を、己の足首を銜《くわ》えたまま、存分に歌っていた。


アブラハムの子らは七人♪

ひとりは　ひょろ長　あとは　ずんぐり♪

みんな仲良し嬉しいな♪

さあ　歌いましょう♪

右の手！（右の手!!）

左の手！（左の手!!）

右の足！（右の足‼）

左の足！（左の足‼）

おつむ！（おつむ‼）

おけつ！（おけつ‼）

それは実に、棍棒《こんぼう》と化した仲間の骨を振りかざす猿《さる》にも似た原始の躍動《やくどう》であり、聖火と聖書を手にした自由の女神《めがみ》の神秘であり、ロダンの〈考える人〉にも通じる哲学的《てつがく》無表情に満ちた、まさに聖なる殴殺《おうさつ》であった。

くるりと！（くるりと‼）

まわろう！（まわろう‼）

だが夕霧は止まらない。

もはや青年は跡形《あとかた》もなく、右手も左手も右足も左足もおつむもおけつも、人類が有する五臓《ごぞう》六腑《ろっぷ》も骨の全《すべ》てに至るまで、ハンマーで懇切丁寧《こんせつていねい》に砕いたかのような、かつて青年だった赤い泥沼《どろぬま》と化している。

それでもなお赤い飛沫《しぶき》を飛ばし、コンクリートを砕く夕霧に、ふいに声がかけられた。

「もう死んでいるよ、夕霧さん《フラウ・ユウギリ》」

夕霧がぴたりと動きを止め、闇《やみ》を凝視《ぎょうし》した。

「本来、特甲《とっこう》児童は、我が社で発案されたコンセプトを間接的に売却《ばいきゃく》したものでね」

闇から、鷲鼻《わしばな》をした男の顔と、手が現れ、落ちたカメラを操作し、テープを抜《ぬ》いた。

「当初の計画では、君たちこそ私たちの尖兵《せんぺい》だったのだよ。しかし一部の者の陰謀《いんぼう》と、偶発《ぐうはつ》的な手違《てちが》いによって、君たちのように、厄介《やっかい》な存在が生まれてしまったというわけさ」

鷲鼻の男が、夕霧を見つめ、微笑《ほほえ》んだ。

「ではまた会う日まで《アウフ・ヴィーダーゼーエン》」

男が闇に消えた。

夕霧は、なおも闇をじっと見つめ続けていたが、やがて別の声が、その顔と、心を振り向かせた。

「夕霧ーっ!!」

にわかに眩《まぶ》しいばかりの輝《かがや》き――中隊の装甲車両が汚水《おすい》の中を進んできた。

その屋根の上にいた涼月が、さっとコンクリートの床《ゆか》の上に飛び降り、物凄《ものすご》い勢いで走り込んで来た。

続いて、陽炎がその探査機能をフル稼働《かどう》させて周囲の策敵を行いながら、涼月の後を追う。

涼月が駆《か》け寄り、夕霧の体を、ぎゅっと抱《だ》きしめた。

夕霧の、乾《かわ》いた虚無《きよむ》をたたえた瞳《ひとみ》に、ゆっくりと光が戻《もど》ってゆく。

ようやく銜《くわ》えていたものを放し、冷たく澄《す》んだ虚《うつ》ろな声で言った。

「夕霧は、悪い子だから、ママのところへ行けないの。どんなに歌っても行けないの」

涼月が、夕霧を抱く手に力を込《こ》めた。

陽炎が、夕霧の顔の血を、そっと拭《ぬぐ》ってやった。

夕霧は、ぼうっとした顔で宙を見ている。

「ねえ……痛いって、どんな感じだったっけ？」

「別に大したもんじゃないさ」

涼月——優《やさ》しい声。

「煙草《たばこ》の煙《けむり》が、目に入った感じだろ。……ちょっと涙《なみだ》が出て、それでおしまいだ」

夕霧は小さくうなずき、目を閉じた。

MPB《エムペーベー》本部ビル——**大隊長室**。
「地下道に配置していた中隊から報告。武装犯の掃討《そうとう》が終了《しゅうりょう》。広報部課長ともども、彼女らは全員無事。一名は生身の接続部《クッション》を損傷。五分後に当ビル医療《いりよう》フロアに収容予定」

副長の淀《よど》みない声——冷徹《れいてつ》なささやき。

「あの男が、彼女らを狙《ねら》ったことは確かです。これで敵は、彼女らが完全に我々の側にいると確信したでしょうな」

大隊長オーギュストは、銃口《じゆうこう》のような威圧《いあつ》を伴《ともな》う目を、じっと浄水場《じようすい》の様子を映すモニターに向け、低い声で告げた。

「宣戦布告だ。彼らの……そして我々の」

くすっと、かすかな笑い声がした。

「夕霧……？」

涼月が呼ぶ。

救急車の担架《たんか》に横たわった夕霧に手を伸《の》ばし——陽炎にそっと押さえられた。

「ママと話してるんだろう」

涼月は、手を引っ込め、損傷した体を毛布で覆《おお》われて眠《ねむ》る夕霧の耳元に、

「夕霧は、良い子だ」

そっと、ささやいた。

もしもし、ママへ。
夕霧はまだとべません。
もしかすると、ずっととべないのかもしれません。
もしそうだとしても、夕霧はずっと歌います。
ママに教えてもらったお歌を歌います。
ママに会えないのはさみしいけれど夕霧はひとりぼっちじゃありません。
夕霧のお歌を聞いてくれるたいせつなひとたちがいます。
どうかママが綺麗《きれい》な青色をしたお空の国で、ひとりぼっちじゃありませんように。
どうかママが夕霧のことを心配して、楽しくお歌を歌えなくなったりしませんように。
どうかママがいまの夕霧と同じくらい幸せでいますように。
いつも夕霧はそう祈《いの》っています。

終

「父ちゃん、祭壇《さいだん》は用意でけたけど、なんも生贄《いけにえ》にするもんがあらへんで」

愛する息子《むすこ》のイサクにそう言われ、アブラハムはじっと耐《た》えて言いました。

「神様が、生贄をはからって下さってるんや」

そして、息子のイサクを縛《しば》って祭壇に置き、いざ我が子を生贄にするため、剣《けん》を振《ふ》り上げたときです。

空から天使が降りてきて、神様の声をアブラハムにもたらしました。

「子供に手をかけるな！　その子を傷つけるな！　お前は試《ため》された！」

アブラハムは脱力《だつりょく》して言いました。

「神様は、どっちの私を試したんでっか？　我が子を捧《ささ》げるほど信心深い私か、言われれば本当に子供を殺してまう愚《おろ》かもんの私か」

「お前やないわ、アホ」

神様は言いました。

「親の手で生贄にされたその子が、まだ、お前と神とこの世界を愛せるかどうかや。まあ、ともかくお前も偉《えら》い。そやさかい唯一《ゆいいつ》の神を崇《あが》める全《すべ》ての宗教の祖にしたるわ」

「はあ」

「そんでお前、世の中全部の人間にこう言うたれ。もう金輪際、人間同士を生贄にすんなと。神様はそんなもん望んどらへん、とな」

あとがき

グリュスゴット！　お久しぶりですの方も初めましての方もハッピー？　冲方丁です。

さて。この『オイレンシュピーゲル』は、もともとスニーカー大賞十周年特集のために、読み切りの短編として書かれたものでした。第一回の受賞者なんだからなんぞ書けや、ゲーム作ったり漫画《まんが》原作やったりアニメ作ったりしとらんで小説やらんかい小説、そんな小説だって書いてますよけっこういっぱいほら他社で、みたいな感じで。はい。

やはり自分の出身雑誌だし懐《なつ》かしいし声をかけられて嬉《うれ》しいし原稿《げんこう》料高いの知ってるしで「ＯＫっすよ」と二つ返事で了解《りょうかい》――のち何もやらんで放ったらかし。

もろもろの〆切《しめきり》とラインダンス状態で、これはマズった時間ねーし、いいやふけちまおうぜオーライ積極的退却《たいきゃく》を指令する間際《まぎわ》、その頃《ころ》の担当編集者Should-do氏から電話にコール。

「まだですかぁ？（語尾《ごび》高し）」「もうそろそろ時間ないんですけどもぉ（語尾高し）」

せっつかれるとなぜか急にスイッチが入ったり入らなかったり。たまたまそのときは変なスイッチが用意されていた。「うぃっす急いで書きます」などと答えて電話を切り、とはいえ何を書きましょうかねえ、とぶらぶら散歩に出たところ、急に、もやもやっと何かが湧《わ》いてきた。

「なーんか世界とか救いてえ」

最初に来たのがそのフレーズ。どうしようもない倦怠《けんたい》と諦《あきら》めの響《ひび》き。それでもそのフレーズを口にするやつは何かを諦めきれずに闇雲《やみくも》な怒《いか》りを握《にぎ》りしめ、ぽつんと青空を見上げている。

カチンとジッポーライターの蓋《ふた》を開く音。『A・S・A・P』の刻印。『はかない希望《ショートホープ》』の銘柄《めいがら》。

これから始まることよりも、もっと違《ちが》う何かの始まりを期待する自分を哀《あわ》れんで火をつける。

あ、いた。

という感覚がきたら、後は決まっている。彼もしくは彼女がいることを認め、他《ほか》にどんなやつがいるか、どんな風にしているか、何をしているかを、可能な限りさっさと《アズ・スーン・アズ・ポシブル》見て取って、出来るだけそっくりそのまま書き写せばいい。

というわけで。そのときは、どこかの国の大都市の三人の女の子が、人生はクソだと思いながらも、数少ない仲間たちとの悪ふざけ《オイレンシュピーゲル》を頼《たよ》りに、血の修羅場《しゅらば》を通過する様子を書いた。

で、普通《ふつう》はそれでおしまい。仕事が終わったのにそれ以上、そいつらの人生に関《かか》わる必要なし。いつまでも関わっていたら、きりがなくなるしね。

——という気分にはまるでならず、その後もしばしば彼女たちを見続けた。

きりのないものであるからこそ面白《おもしろ》かったのかもしれない。最初の短編をもとに、勘違いしていた部分を修正したり、都市の背景を詳《くわ》しく見て取ったりしては、設定書の形で書き写した。

ちょうど、「ミドルティーンの少年少女を今の視点で書けるのは、あと三年が限界かも」と思っていたので、今のうちに書けるものを全《すべ》て書いておかなければという気分もあった。

そのうち、最初の三人だけじゃなく、また別の三人もいることが分かった。

しかも彼女らは微妙《びみょう》に絡《から》み合いながらも、全く別の物語を生きている。

出来ることならその絡み合いごと、でっかく書きたいと思ったけど、無理無理、そんな時間ないし、書いても本にしてもらえるかも分かんないし、こんなの趣味《しゅみ》だよ仕事じゃないよ。

――なんて思っていたら、あらびっくりどっこい実現してしまった。

『オイレンシュピーゲル』――角川書店「ザ・スニーカー」。

『スプライトシュピーゲル』――富士見書房「ドラゴンマガジン」。

二誌同時連載《れんさい》。完膚《かんぷ》無《な》きまでに仕事であり、ど根性《こんじょう》ものの悪ふざけである。嬉しい悲鳴どころか絶叫《ぜっきょう》マシーンに乗ってひたすらアップダウン。他にも漫画原作にアニメにゲームにと一カ月で七回くらい〆切がきたりして耳から変な汁《しる》が飛び出そうになったり。

編集者さんたちもめっさ大変。打ち合わせには両編集部が参加。特集の確認《かくにん》やらチラシ作りやら出版時期の調整やら、申し訳ないくらいに仕事が増える増える増えるごめんなさい。

さらには企《き》画《かく》の始まりを司《つかさど》ってくれた担当編集者 Should-do 氏が、連載第一回を目前にして異動で別部署に。あまりのことにうろたえつつも、スムーズに担当が移行。若くやる気に満ちた編集者により、雑誌では様々なアンケートを実施《じっし》。応募者《おうぼ》のアイディアを作中で使うという、挑戦的《ちょうせん》な悪ふざけ企画を発動し、こちらも面白がって一話で二十人分くらいのハガキを採用したりして、またもやめっさ大変なことに。応募して下さった方々に多謝ダンケ！

てな感じで色々ありましたが、こうして本になると、やって良かったと嬉しさもひとしお。特にイラストでは非常に恵《めぐ》まれました。最初の短編を書いたとき、可愛《かわい》くカッコイイ戦闘機《せんとう》少女の島田フミカネさんにイラストをお頼《たの》みし、連載では基礎《きそ》デザインを作って頂きました。

さらにそのデザインを白亜右月さんが受け継《つ》ぎ、半年間の連載でイメージのキャッチボールをする中、新たなデザインへと昇華《しょうか》されております。両氏が描《えが》くビジュアルによって、僕自身、文章だけでは汲《く》み取れない、多くの彼女たちの姿を見て取ることが出来ました。

大勢の尽力《じんりょく》と悪ふざけに感謝しますとともに、今後とも、彼女たちの活躍《かつやく》をみなさんとともに見守り続けてゆきたいと思います。

愛と戦いの悪ふざけ《オイレンシュピーゲル》を、あなたとともに！

二千七年一月　冲方丁　拝

●初出一覧

第壱話………「ザ・スニーカー」二〇〇六年六月号
第弐話………「ザ・スニーカー」二〇〇六年八月号
第参話………「ザ・スニーカー」二〇〇六年十月号

オイレンシュピーゲル壱《いち》

Black《ブラック》 &《アンド》 Red《レッド》 &《アンド》 White《ホワイト》

冲方《うぶかた》 丁《とう》

角川文庫 14563

平成十九年二月一日　初版発行
平成二十二年四月二十日　三版発行
発行者—井上伸一郎
発行所—株式会社角川書店
東京都千代田区富士見二—十三—三
電話・編集（〇三）三二三八—八六九四
〒一〇二—八〇七八
発売元—株式会社角川グループパブリッシング
東京都千代田区富士見二—十三—三
電話・営業（〇三）三二三八—八五二一
〒一〇二—八一七七
http://www.kadokawa.co.jp
印刷所—暁印刷　製本所—BBC
装幀者—杉浦康平

落丁・乱丁本は角川グループ受注センター読者係にお送りください。送料は小社負担でお取り替えいたします。

定価はカバーに明記してあります。

S 200-1　ISBN978-4-04-472901-1　C0193

角川文庫発刊に際して

角川源義

第二次世界大戦の敗北は、軍事力の敗北であった以上に、私たちの若い文化力の敗退であった。私たちの文化が戦争に対して如何に無力であり、単なるあだ花に過ぎなかったかを、私たちは身を以て体験し痛感した。西洋近代文化の摂取にとって、明治以後八十年の歳月は決して短かすぎたとは言えない。にもかかわらず、近代文化の伝統を確立し、自由な批判と柔軟な良識に富む文化層として自らを形成することに私たちは失敗して来た。そしてこれは、各層への文化の普及滲透を任務とする出版人の責任でもあった。

一九四五年以来、私たちは再び振出しに戻り、第一歩から踏み出すことを余儀なくされた。これは大きな不幸ではあるが、反面、これまでの混沌・未熟・歪曲の中にあった我が国の文化に秩序と確たる基礎を齎らすためには絶好の機会でもある。角川書店は、このような祖国の文化的危機にあたり、微力をも顧みず再建の礎石たるべき抱負と決意とをもって出発したが、ここに創立以来の念願を果すべく角川文庫を発刊する。これまで刊行されたあらゆる全集叢書文庫類の長所と短所とを検討し、古今東西の不朽の典籍を、良心的編集のもとに、廉価に、そして書架にふさわしい美本として、多くのひとびとに提供しようとする。しかし私たちは徒らに百科全書的な知識のジレッタントを作ることを目的とせず、あくまで祖国の文化に秩序と再建への道を示し、この文庫を角川書店の栄ある事業として、今後永久に継続発展せしめ、学芸と教養との殿堂として大成せんことを期したい。多くの読書子の愛情ある忠言と支持とによって、この希望と抱負とを完遂せしめられんことを願う。

一九四九年五月三日

いつも「スニーカー文庫」を
ご愛読いただきありがとうございます。
今回の作品はいかがでしたか？
ぜひ、ご感想をお送りください。

〈ファンレターのあて先〉
〒102-8078 東京都千代田区富士見2-13-3
角川書店 スニーカー編集部気付
「冲方 丁先生」係